蒙台梭利幼儿教育原版翻译教材

# 发现孩子

# THE DISCOVERY OF THE CHILD

[意] 玛利亚·蒙台梭利
**Maria Montessori** / 著

了解和爱孩子的新方法

中国发展出版社

# 中文版序

## I

　　玛利亚·蒙台梭利,意大利教育家和医生。出生于意大利的安科纳地区。她是意大利第一位女医学博士,于罗马大学毕业后,在本校附属精神病院作临床助手,致力于弱智儿童教育的研究,后成为弱智儿童学校的主任教师。没过多久,蒙台梭利又进罗马大学学习心理学、教育学、哲学等,并创办了第一所"儿童之家"。她在实验、观察和研究基础上形成的对世界教育带来革命性变革的蒙氏早期教育法,赢得了各国同行的尊敬和崇高评价,如英国教育家赞誉她是"20世纪赢得世界承认的、给科学带来进步的最伟大的教育家之一";美国教育家认为,"当代讨论学前教育问题,如果没有论及蒙台梭利体系,便不能算完全";德国教育家更是不吝溢美之词,"在教育史上能像蒙台梭利这般举目众知的教育家并不多见。在短期内能够超越国界、世界观、宗教上的差异而在世界上普及的教育理论,除了蒙台梭利教育之外,别无他选。"从蒙台梭利成名至今,世界各国的孩子已经和正在通过她的著作所传播的理念,接受着与传统教育完全不同的自主教育。迄今为止,蒙台梭利的著作已被译成 37 个国家的文字,在世界许多国家都成立了蒙台梭利协会或设立了蒙台梭利培训机构,完全的和不完全的蒙台梭利学校遍及 110 多个国家。在日益重视素质教育的中国,以她的思想为基础创立的蒙台梭利婴幼儿班和学前班,也越来越受到家长和幼儿园的青睐。

## II

蒙台梭利教育法之所以能影响整个世界的教育体系,关键在于她在总结卢梭、裴斯泰格齐、福禄贝尔等人自然主义教育思想的基础上,形成了自己革命性的儿童观念。她认为儿童有一种与生俱来的"内在生命力",这种生命力是一种积极的、活动的、发展着的存在,它具有无穷无尽的力量。教育的任务就是激发和促进儿童"内在潜力"的发挥,使其按自身规律获得自然的和自由的发展。她主张,不应该把儿童作为一种物体来对待,而应作为人来对待。儿童不是成人和教师进行灌注的容器;不是可以任意塑造的蜡或泥;不是可以任意刻划的木块;也不是父母和教师培植的花木或饲养的动物,而是一个具有生命力的、能动的、发展着的活生生的人。教育家、教师和父母应该仔细观察和研究儿童,了解儿童的内心世界,发现"童年的秘密";热爱儿童,尊重儿童的个性,促进儿童的智力、精神、身体与个性自然发展。她还利用第一手观察资料和"儿童之家"的实验,提出了一系列有关儿童发展的规律。

**儿童发展有一个"胚胎期"**。即人有生理和心理两个胚胎期,其中心理胚胎期是人类特有的,新生儿期就是这个胚胎期的开始,它是儿童通过无意识地吸收外界刺激而形成各种心理活动能力的时期。成人应专门设置能满足儿童各种内在需要的环境,以尽量排除不利于生命力成长的各种不利因素。

**儿童发展有一个敏感期。**"正是这种敏感性,使儿童以一种特有的强烈程度接触外部世界。在这一时期,他们能轻松地学会每样事情,对一切都充满着活力和激情"。她还通过观察,总结出儿童所具有的各种敏感期,以此作为对幼儿进行教育、引导和帮助的参考,促进幼儿的心理正常发展,以免延误时机,给儿童的心理发展造成障碍。

**儿童发展具有阶段性。**第一阶段(0~6岁)是儿童各种心理功能形成期,其中从出生到3岁是"心理胚胎期",这一时期儿童没有有意识的思维活动,只能无意识地吸收一些外界刺激;另一个是个性形成期,儿童逐渐从无意识转化为有意识,慢慢产生记忆、理解和思维能力,并逐渐形成各种心理活动之间的联系,获得最初的个性心理特征。第二阶段(6~12岁)是儿童心理相对平稳发展时期。第三阶段(12~18岁)是儿童身心经历巨大变化并走向成熟的时期。

**儿童是在"工作"中成长的。**蒙台梭利认为,游戏会把儿童引向不切实际的幻想,不可能培养儿童严肃、认真、准确、求实的责任感和严格遵守纪律的行为习惯。只有工作才是儿童最主要和最喜爱的活动,才能培养儿童多方面的能力,并促进儿童心理的全面发展。她将儿童使用教具的活动称之为"工作",而将儿童日常的玩耍和使用普通玩具的活动称之为"游戏",儿童身心的发展必须通过"工作"而不是"游戏"来完成。她通过对儿童的观察和研究发现,儿童在工作中有一种对秩序的爱好与追求:他们要求独立工作,排斥成人给予过多的帮助;他们在工作中要求自由地选择工作材料、自由地确定工作时间;在工作中非常投入,专心致志;他们对于能够满足其内心需要的工作,都能一遍又一遍地反复进行,直至完成内在的工作周期。

Ⅲ

为了让中国读者全面了解蒙台梭利的思想,学习与借鉴她所总结的教育方法,我们推出了这套《蒙台梭利幼儿教育原版翻译教材》。

**《蒙台梭利早期教育法》**,是蒙台梭利博士的第一本儿童教育专著,被译成 20 多种文字在许多国家出版,本书是她对自己亲手创立的"儿童之家"的经验总结。正是这本书的问世,使她成为全球儿童教育的理论与实践方面最有影响力的教育家之一。本书是蒙台梭利博士对她所进行的教育创新背后的理论原则的揭示,向父母、教师和教育行政人员传授如何"让孩子通过自己的努力去自由地学习"。本书向人们介绍了蒙台梭利方法的指导原则,通过本书所介绍的方法,孩子能发展自己的秩序意识和逻辑思维。

**《蒙台梭利儿童教育手册》**,是蒙台梭利博士在美国传授蒙台梭利教育方法期间,应无数对她的教育方法感兴趣的父母和教师的要求而写作的一本操作性手册。该手册向人们传授了"儿童之家"所运用的教具和技术,如何为孩子们提供一个进行"自我教育"的环境。从蒙台梭利创办第一所"儿童之家"至今,所有蒙台梭利教室的教具都极为相似,蒙台梭利博士在本书中解释了如何对学前儿童使用这些教具,以刺激他们的观察力、认知力和判断力的成长。蒙台梭利博士强调,对每个孩子的施教方法是不同的,成人的作用,无论是老师还是家长,应该让孩子自己去试验,让他们自己意识到自己的错误,让他们在学习中自己冒必要的风险。它是蒙台梭利方法的全面传授,堪称父母、教师和教育家的必备手册。

《童年的秘密》,阐述了揭开儿童成长奥秘的革命性观念,是一个最富爱心的教育家对儿童发育与成长特征的最生动刻画。正如蒙台梭利所言:"儿童只有在一个与他的年龄相适合的环境中,他的心理生活才会自然地发展,并展现他内心的秘密。"她认为,一个儿童之所以不能正常地发育和成长,主要是因为受到了成年人的压抑,是社会赋予了成年人截然相反的使命:让他们有权决定儿童的教育和发展。在本书中,蒙台梭利博士详细而生动地描绘了儿童的生理和心理特征,揭示了成年人对儿童心理发育的忽视和抑制,提出了儿童发育中有一个"敏感期"的观念,刻画了儿童在智力、秩序感、行走、节奏感、观察力等方面的发育特征,是一本了解儿童发育和成长秘密的最生动的著作。

《发现孩子》,揭示了如何培养孩子的新观念和新方法。蒙台梭利认为,每个孩子都有去观察、对外界作反应、去学习、去集中注意力,甚至让自己独处的需要。为此,她一直致力于打破已有的教育传统,去寻求了解孩子和爱孩子的新方法。在本书中,她描述了孩子的特性,以及如何更充分地唤起孩子学习热情的方法。正如她所言:"即便是对那些非常幼小孩子的教育,我们的目的不应是为他们上学作准备,而是为了他们的生活。"

《有吸收力的心灵》,是蒙台梭利博士的封笔之作,是集她思想和方法大成之作。本书是蒙台梭利博士最受欢迎、并且最能表现她富有革命意义理论的书。在本书中,我们处处能见到她那至今仍显得超前又十分重要的思想。如,教育并非"老师做了什么",而是人类自身自然发展的结果;孩子的知识不是通过教育得到的,而是通过儿童在他们特定的环境中吸取经验而得来的;教育不应该再停留在课程和时间表上,它必须符合人类自身的实际,等等。国际蒙台梭利协会会长克劳德·克莱蒙特这样评价此书:"如果我称本书为有史以来最为重要的著作,也许有些言过其实。但我却无法说出有哪本书对人类的未来福祉比这本书更有价值。"

# 目 录
## c o n t e n t s

c o n t e n t s

c o n t e n t s

世界的方法。当智力被视为培养孩子的重要方面,甚至是他们生活的支柱时,人们就不会再让它盲目地耗散,或不分青红皂白就将其压抑和禁锢了。

智力及其独特的逻辑思维和辨别能力足以区分和抽象出事物的重要特征。智力正是在这些特征的基础上继续前进,建立起了自己的内部结构。

智力通过人的注意力和内在意志活动,提炼出事物的主要特征,并通过意象的联想,将这些意象置于意识的前缘。每一副健全的大脑都能去粗取精,舍弃多余的东西,使之将那些独特的、清晰的、敏感的和重要的东西留存下来,尤其会保留那些对创造性有用的东西。如果没有这种独特的活动,智力就不能称其为智力了。

天才有一种在意识上将事实分离出来,并把它与其他东西分别开来的能力。就如同在一间黑屋里,只有一束光会落到宝石上一样,天才就是那落在宝石上的一束光,他的思想会在意识领域产生巨大的革命,并为人类作出伟大、卓著的贡献!决定

contents

天才作出惊人发现的是他们在同一领域对事实进行的分离,并非所发现的事物本身有多么独到的价值。

在当今世界,所有人都应该接受科学方法的熏陶,应该让每个小孩都亲自参与实验、观察,使他们与现实紧密联系起来。这样,他们那想象的翅膀就可以从更高的基点起飞,他们的智能也能被很自然地引向创造之路。

如果真要培养婴儿的想象力,我们要做的第一件事就是让他们在成为事物主人的环境中生活,或用建立在事实基础之上的知识、经验来丰富他的头脑,让他们在此基础上自由地成熟。只有让他们自由发展,他们才有可能展示其想象力。

我们应建立一个能够指引孩子、能够提供孩子锻炼能力的适当环境,允许老师暂时离开孩子。这样一个环境的设立,就是教育的一大进步。

　　我们不必在孩子面前充当完人,把每件事都做得十全十美;相反,我们有必要审视自己的缺点,虚心接受孩子公正的观察批评。有了这样的观念,当我们在孩子面前做了不该做的事时,也就能够原谅自己的错误。

　　我们教育家不知道我们正在做什么,我们也感到不安全,并且在寻找我们难以发现的路径。因为不管我们怎么试,都是失败!但是有一件事我们从未失败:那就是蒙台梭利方法……如果你能像蒙台梭利博士一样了解它。

# PART 1

# 儿童是什么

　　孩子打从出生那一刻起，就开始受到成人的压制，可怕的是，人们竟对其毫无察觉。即使像我们这样有着所谓先进文明的开化社会，儿童与成人之间的对立关系，也因为复杂的社会礼教、对孩子的行为采取强制约束和刻意限制孩子的自我发展而更趋恶化。

——玛利亚·蒙台梭利

为了与其他被人们新近开发的现代教育形式有所区别,我们采用了以我的名字——蒙台梭利来命名的教学法,旨在从孩子身上发现一些以前未曾为人们观察到的精神特质。事实上,呈现在我们眼前的仍是一个潜能有待发掘的孩子。

由于有了上述认识,以及为了进一步了解孩子,并采取措施来保护与认可他们的权利,于是我们毅然采取了直接的教育拯救行动。我们之所以疾呼要保护儿童的权益,主要是因为孩子是在强权统治下的弱势群体,他们不但不被了解,就连必要的需求也常常无法得到成人社会的认可。大量的例子一再显示出孩子的处境实在是极其恶劣。

蒙台梭利学校,是一个能够让孩子静心成长的地方。孩子被压抑的心灵可以在这儿获得释放,表达真正的自我。他们所表现出来的学习态度和行为方式,也与眼下一般所推崇的儿童教育理念有所不同。它使我们不得不反省过去在教育上所犯的严重错误,将教育的重心转移到人类最微妙最敏感的儿童身上。

孩子在我们面前展露出来的,是他们尚未被探察到的心智。孩子的一些行为活动倾向,也是许多心理学者和教育学家从未探究过的。举例来说,孩子对一些我们认为他们应该会喜欢的东西——比如说玩具,并不太感兴趣,他们对童话故事也是兴趣索然。相反,孩子们总是想挣脱大人的控制,希望每一件事都能自己动手。除非是真的需要帮忙,不然孩子们表现出很明显的倾向是不想让大人插手。孩子们是那样安静、专注地投入到他们的工作中,那种专心、平静的神情真是令人惊讶!

孩子们从内心自然流露出来的这种自发性,过去显然是因为大人们的居高临下及不适当的介入与干扰,而受到长期的压抑。成人以为自己所做的每件事情都可以比小孩好,于是就把成人的那一套行为模式强加于孩子身上,要求孩子接受大人的控制,迫使孩子屈服、放弃自己的意愿和创意。

我们成人习惯于用自以为是的方法来解释孩子的行为,用自认为正确的方式来对待孩子,这不仅造成学校教育的偏差和整个教育体制的误导,更导致社会采取了一连串完全错误的行动。这些教育上的失误,已引发了社会与道德上新的反思。长久以来,儿童和成人之间的关系,一直处在一种相互对立的冲突状态,现在这种对立状态更是面临着考验。儿童与成人之间的关系正在发生改变,而且这种情势更有逆转之势,它迫使我们必须采取教育改革的行动,这一行动不光是针对教育学者,更是针对所有成人,特别是为人父母者。

蒙台梭利教学法在世界各地乃至文化习俗各异的国家,都引起极大反响。现在几乎在世界各地都有蒙台梭利学校的成立。蒙台梭利教学法在各地所受到的重视,也从另一方面证明了儿童和成人之间的冲突关系是一个遍及全球的现象。孩子打从出生那一刻起,就开始受到成人的压制,可怕的是,人们竟对其毫无察觉。即使像我们这样有着所谓先进文明的开化社会,儿童与成人之间的对立关系,也因为复杂的社会礼教、对孩子的行为采取强制约束和刻意限制孩子的自我发展而更趋恶化。

一个在由大人控制的环境下长大的孩子,他的许多需求是没有办法得到满足的。孩子的必要需求不单单只是身体上的,更重要的还有心理上的。他们的心理需求能否得到满足,是影响孩子日后智能和道德精神发展的重要因素。孩子被力量比他强大得多的大人压制着,他不但不能依照自己的意愿行事,还要被迫去适应一个对他不利的生活环境,而且这一切都源于大人总是天真地以为这样做是在帮助孩子学会在社会上生活。几乎每一种所谓的教学活动,都不约而同地采取了命令式的——甚至可以说暴力式的方法,以此来强迫孩子适应大人的生活世界。这种方法的基本点是,要求孩子必须完全地、毫无异议地服从大人的指示。这种方式等于否定了孩子作为一个独立个体的存在,这对孩子来说是绝对不公平的。孩子因此而受到的身心伤害和打击,更是没有任何一个成人能够忍受的。

　　成人对孩子的权威态度深植于家庭之中，即使那些备受宠爱的孩子也无法排除受大人权威的压制。类似于家庭中的这种强权教育，在学校的学习环境里更是有过之而无不及。学校方面有组织的强权行为使得孩子们直接提早适应大人的世界，但这种教育的目的也只是为了让孩子早点配合大人的生活。事实上，学校里严格的课业标准和强制性的行为规定，都与孩子原本美好无虑的童年生活变得格格不入，使他们的日常生活变得危机四伏。学校与家长之间这种如出一辙的权威式管教方法，对缺乏抵抗能力的孩子而言，无疑是一股强势的压力，在这种氛围下，孩子所发出的胆怯不安的求救声，好像也从未引起任何人的关注。孩子期待有人能够听听他们的意见，但他们弱小的心灵却一再碰壁、受伤。久而久之，孩子不但可能变得不愿意顺从，更有可能变得不爱惜自己，任由自己做出危险的行为。

　　如果我们要以孩子的福祉为中心，就应该采取妥善与人道的做法，那就要建立一个不再压制孩子的学习环境。这个环境应当要配合孩子的性情，让孩子在其中自由发展。任何一项教育制度的推行，绝对必须先从建立一个能够保护孩子的环境做起。这个环境要能保护孩子不受成人世界那些危害孩子学习和发展的重重阻碍所威胁；这个环境要像暴雨中的避风港、沙漠中的绿洲，成为他们的心灵寄托之所在；这个环境要时时刻刻确保孩子能够健康正常地发展。

　　孩子在成人世界遭受压制，是一个在全世界都存在的社会问题。历史上受到强权压迫者，例如奴隶、仆人和工人，都属于弱势群体，他们翻身的唯一机会，除仰赖社会改革别无他途，而社会改革的兴起，通常发生于统治者和被压迫者之间的较量之后。美国的南北战争是为了废除黑奴制度；法国大革命则是为了推翻统治阶级、建立现代新型制度。但是，这些可怕的战争都是成人实施强制的手段，它们是成人想用暴力来掩饰错误的见证。

　　和儿童息息相关的社会问题，并不是一个单纯的阶级、种族或国家的问题。一个只会在大人身边扮演附属角色的孩子，将会变化成一个不懂得在社会环境里生存的孩子。大人只顾自身的利益去压榨孩子权益的做法，败坏了一个社会的整体性，无论从哪方面来看,不管受到压榨和磨难的是谁,孩子都将是受害的一方。所有关心儿童福利的人已达成一致共识:孩子是最无辜的受害者。被当成大人附属品的孩子,他们手无缚鸡之力,根本谈不上替自己争取权益。孩子受到的伤害是那么直接和深刻,他们更加需要得到社会的同情和宽待。社会上有些讨论常常拿不幸的孩子和快乐的孩子、出身贫穷的孩子和有钱人家的孩子、被遗弃的孩子和被宠爱的孩子之间的差异做比较。这些讨论的结果都不约而同地表明,人和人之间的个性差异在童年时期就已经定型了,而且童年岁月对成年之后的生活的确有着深远的影响。

儿童是什么?儿童是成人制造出来的物品。为此成人也把儿童当作是一件私有财产。没有一个奴隶被主人所拥有能像孩子被父母这样完全拥有,也没有一个仆人像孩子那样必须永远服从大人的指示。从来没有任何人的权益像儿童权利那样不被重视;更没有任何一个工人必须像孩子那样,盲目地遵从大人的命令,至少工人还有下班的时候,还可以找个地方消遣。我想,没有一个人愿意处在孩子的地位。孩子被大人用一堆严格而又专制的规定限制着,他们什么时间必须做功课,什么时间才可以玩,都得按照大人的规定。我们的社会从来不曾将孩子视为一个独立的个体。因此,大人认为住起来舒服的地方就是孩子的家,在一个家里,妈妈负责洗衣做饭、爸爸负责外出工作赚钱,爸爸妈妈只要量力而为地照顾孩子就行了。自古以来,学校方面也是尽量尊重这样的家庭生活方式,因为人们始终认为,这样的安排就是我们能为孩子提供的最好照顾。

自古以来,所有的道德思想和哲学理论几乎完全以大人为中心,和孩子童年有关的社会问题都被忽略了。似乎没有人想过孩子实际上是一个有别于大人的独立个体。从来没有人思考过孩子也具有独特的性情,也没有人关心过孩子为达到其生命中的非凡成就所应具有的个别需要。大人只是把孩子看成是无助的弱小者,大人认为孩子应该按照他们的指令来做事。遗憾的是,孩子作为能如此吃苦受难,而又如此体贴他人的良伴,却没有人真正了解他们。在人类历史上,有关孩子的记载仍是一页空白。我们希望能够将这一页空白填满。

# PART 2

## 新生儿的诞生

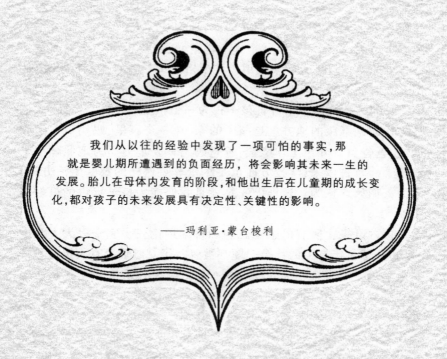

我们从以往的经验中发现了一项可怕的事实，那就是婴儿期所遭遇到的负面经历，将会影响其未来一生的发展。胎儿在母体内发育的阶段，和他出生后在儿童期的成长变化，都对孩子的未来发展具有决定性、关键性的影响。

——玛利亚·蒙台梭利

**有**人认为，文明是使人类逐渐适应生存环境的一种方法。如果这个说法是正确的，还有谁比刚出生的婴儿所感受的环境变化更强烈、更突然？当我们要瞬间适应环境时，会感到很难适应，而新生儿在诞生时则必须承受比之更糟糕的局面，因为新生儿基本上是从一个世界降临到了另一个世界。因此我们不禁要问，我们究竟为新生儿的诞生做了些什么样的准备工作呢？

在人类文明史上，应该专门写一页前言，来详细记载大人用什么样的方法来帮助新生儿适应他所降临的新环境。这一页前言目前还不存在，因为人类生命开始的第一页仍然是一页空白，直到目前为止，还没有人试着去了解一个新生命的迫切需要。

我们从以往的经验中已发现了一项可怕的事实，那就是婴儿期所遭遇到的负面经历，将会影响其未来一生的发展。胎儿在母体内发育的阶段，和他出生后在儿童期的成长变化，都对孩子的未来发展具有决定性的、关键性的影响。世界各地的专家学者也齐声呼吁，胚胎期和儿童期的成长过程，不但对他成人之后的健康状况有所影响，而且对整个人类未来的延续也扮演着举足轻重的角色。迄今为止，人们只认为生产——这一人类整个生命过程中最艰难的一刻对产妇来讲是危险的时刻，却没有人领悟出它对新生儿来说也是一道难关。

为什么说生产对新生儿也是一个难关呢？因为经由生产，新生儿彻彻底底地脱离了之前赖以为生的母体保护。与母体分开的新生儿，必须马上靠自己尚未发育完全的器官来维持生命。在还没有出生以前，新生儿是靠母体内特别为胎儿设置的温暖羊水在生长，是母体保护着胎儿，不让胎儿受到丝毫躁动和温差的影响，连一丝丝微弱的光线、一点点轻柔的声音，都被母体隔离在外，不让胎儿受到干扰。

然而,随着生产的过程,新生儿被从母体温暖的羊水里排到空气中来求生存。原本在妈妈肚子里安详地静养着的胎儿,却要在没有任何适应期的情况下,被迫经历一场筋疲力尽的生产工作。新生儿那瘦弱的身躯就像被两块重石挤压一样,最终新生儿只得带着伤降临到我们怀里,像一位长途跋涉的朝圣者。我们为使新生儿顺利降临到我们身边又做了些什么来帮助他呢?我们是用什么方式来迎接他的到来的呢?在生产的时候,几乎所有的注意力全都放在妈妈身上,新生儿只是被粗略检查了一下,确定他可以健康存活就算大功告成了。刚当上爸爸妈妈的父母亲,充满喜悦地看着他们的孩子,大人的自我,正是经由这个完美婴孩的诞生而获得满足。因为孩子的到来,实现了他们期待已久的一种渴望——他们拥有了一个孩子。这个孩子的诞生,将会使他们的家庭紧密交融在一种爱的感觉里。

但是,当生完孩子的妈妈,在幽静的房间里安详放松休息的同时,有谁想起过,是否也应该让同样饱尝疲累的新生儿,也在微暗的房间里安静休息,以让他能慢慢适应新环境呢?遗憾的是,没有什么人认为新生儿受过艰苦的磨难。新生儿那从未曾被触摸过的小小身躯,是那么的敏感,但是没有人会为珍惜他而好好呵护他,也没人去试图理解新生儿对每一个新触觉和对其身体里的无数自然现象所作的敏感反应。

有人说,自然界自会在必要的时候,给予它的子民所需要的援助。然而,如果文明已经为人类创造了能够超越自然、控制自然的"第二天性",那么,当我们观察其他动物的自然发展时,大概会觉得兴趣盎然。如果我们仔细观察动物的习性,可以看到母兽会将它的孩子藏起来,让它们避开光线一阵子,还会用它的身体给小幼兽保暖。母兽还会非常警觉地保护它的孩子,不让其他动物跨越雷池一步,更不会让它的孩子被其他动物触碰,甚至连被看一下都不准。

反过来看看人类的新生儿吧!不论是自然环境或是文明,都不曾为他适应环境而减轻负担。甚至有人说,孩子能活下来就已经足够了,由此可见,他们判断孩子适应环境的标准也就是孩子能不能平安地活着。本来应该继续让刚出生的新生儿维持在妈妈肚子里时的姿势的,可现实情况却是,新生儿常常一落地,马上就被穿上衣服,甚至有一段时间还被包得紧紧的,使他们柔弱的四肢遭受着强力的限制。

有一种说法:"健康的孩子完全具有抵抗力,他们能适应环境,自然界的万物不都是如此?"如果人类真有如此强壮的话,他为什么不干脆自在地住在树林子里呢?他干吗还要在冬天拼命保暖,全身裹着柔软的毛毯坐在安乐椅上,享受悠闲舒适的生活呢?难道我们比新生儿还要脆弱吗?

死亡,就像新生一样,也是一种自然现象,它是每个人必须经历的自然法则。既然死亡是一桩极其自然的事情,为什么我们没有去想尽各种办法以减轻死亡的恐惧?既然我们无法摆脱死亡的威胁,为什么我们还会想尽一切办法以尽量减轻死亡的痛苦?况且,我们从来未曾想一些办法去舒缓生产的痛苦呢!

总而言之,人的内心有一种说不出道理的无知,一种已深入个人精神和整体文明的盲目。就像视觉上的盲点一样,人们对新生儿的盲目无知,正是人类对生命的一个盲点。

我们必须彻底了解新生儿的特质,只有这样,他们才能从一生下来就得到完好的照料,也才能够安稳地跨出生命中的第一步。照顾新生儿一定要具备相当的知识,并且应以新生儿自身的需要为主。就算只是抱一抱孩子,也一定要非常温柔谨慎地对待他。除非能够做到轻柔地对待他,否则新生儿最好不要被随便移动。我们必须明白,孩子刚生下来的时候,甚至在他还没有满月之前,都需要一个安静的成长环境。这段时间最好不要帮孩子穿衣服,也不要用包裹给他包起来,只需让孩子在室温下做到保暖就可以了。因为婴儿这时候的体温还不大能够随着温度的变化来自行调节,所以穿衣服对新生儿来说并没有太大的实质性帮助。

我的这个论点也受到一些非议,因为有的妇女会说我忽视了每个国家存在不同的传统育婴方式。对于这项指控,我只能说各种不同的育婴方法我都有所涉猎。正因为我曾经在许多国家做过研究,深入观察过各种不同的育婴方式,才发现了这些方式在某些方面的缺失。容我再说明一次,这些育婴方式真正欠缺的,是一种心理意识上的醒悟,即在我们迎接新生儿的来临前,绝对需要花时间做好一切准备。

事实的真相是，不论哪一个地方或是哪一个国家，儿童都未被彻底了解。从孩子出生的那一刹那起，大人的潜意识里就充满了不安。成人对自己所拥有的东西总是想要极力保护，即使有些东西实在没有多大价值。他们害怕孩子的来临将会打乱平常的生活秩序，房子也会被孩子破坏或弄脏。也许正是因为有这种心态，所以我们照顾孩子的方式，不外乎就是急急忙忙地跟在孩子后头，随时准备拯救那些可能会被他破坏的东西。他们有时甚至想逃离一阵，以保持心境的平和。大人在采取这些行动的同时，他们在使孩子成为一个有教养的小孩的努力中，也抑制了孩子所特有的那种"随心所欲"的性情。

有时候，我们会把孩子随心所欲的特性，误认为是任性的表现。其实孩子一点也不任性，只不过是因为我们对孩子的了解还不够罢了。我们常常因为不够了解孩子的性情，而在教养上犯下一些错误。举例来说，孩子从一岁开始，特别是在两岁的时候就有一种倾向，希望看到东西都摆在他所熟悉的位置上，且对每一样东西都有特定的使用方法。如果有人打破孩子这种习以为常的生活秩序，他会感到非常不高兴，觉得沮丧，他甚至会想办法把东西物归原处，以安抚自己的心情。

即使是年纪非常小的孩子，也有物归原位的要求。我们学校里就曾经发生过类似的情况。有一次，一个孩子站着那儿低头看着地上的散沙。他妈妈看见了，就随手把沙子撒掉了。没想到孩子竟然当场哭了起来，只见他急忙把散落的沙子集中起来，捧回原处。直到这时妈妈才明白孩子为什么会突然哭了，遗憾的是她原来还把孩子的这种需要当成是孩子不乖的表现。

另一个孩子的妈妈讲述了这样一件事。有一天，因为觉得天气挺暖和，就把外套脱了下来挽在手上，孩子因此开始哭闹。没有人知道孩子为什么如此伤心，直到妈妈把外套再穿上以后，孩子才安静下来。到这时大家才恍然大悟。

以上例子表明，影响孩子情绪的主要原因，都是因为孩子看到物品放在了不熟悉的位置。大人可能认为，这样的孩子应该受罚，因为只有处罚才能纠正孩子的缺点。事实上，如果有些缺点在孩子长大以后就能自然消失的话，那现在纠正孩子的缺点便显得多此一举。成人当然不会因为有位妇女脱下外套，就在大庭广众之下嚎哭。大人往往不了解孩子一些行为的真正意思，就认为这些行为显出孩子不乖。我们应该明白，孩子现在的某些缺点，长大了以后会自然消失，不值得我们过于操心。一旦我们开始接受孩子，就能够慢慢了解我们对他的许多纠正措施是多此一举，并且还会继续爱这个有许多小毛病的孩子，因为我们知道有一天他终将成为一个守礼、明理的大人。

再举最后一个例子：我认识一个两岁的孩子，他的保姆每次都在同一个浴缸、用同样的方式帮他洗澡。当这个保姆有事必须离开一阵子，另一个保姆就来代替她照顾孩子。但是每次新保姆一帮孩子洗澡，孩子就开始哭，新保姆也搞不清楚到底是什么原因。一直到原来的保姆回来后问孩子："你为什么每次洗澡都哭呢？新保姆人不是很好吗？"孩子回答她说："新保姆对我很好啊，只是她每次洗澡都倒着来。"原来以前的保姆都是先帮孩子洗头，但是新保姆是先从脚开始洗起。洗澡的先后次序对这个孩子来说，是生活规律中的一部分，为此他才会尽力加以防卫。然而孩子对规律性的趋向，却往往被大人视为不乖。

# PART 3

# 心理胚胎

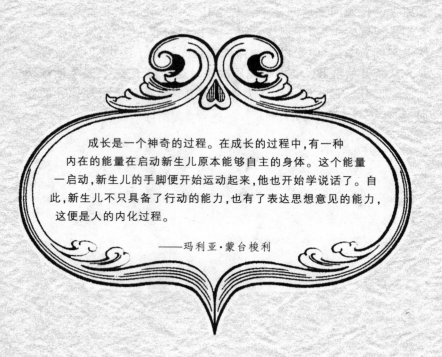

　　成长是一个神奇的过程。在成长的过程中,有一种内在的能量在启动新生儿原本能够自主的身体。这个能量一启动,新生儿的手脚便开始运动起来,他也开始学说话了。自此,新生儿不只具备了行动的能力,也有了表达思想意见的能力,这便是人的内化过程。

——玛利亚·蒙台梭利

新生儿应当被视为"心理胚胎"来看待,它是一种为了降临到这个世界上而包藏在肉体中的精神。但是,从科学的角度来看,新生命却被认为是来到这个世界上一片空白。组成这个活生生个体的是组织和器官,这些都可以用科学仪器测量出来,但是,我们所称的精神却无从查证。如此细密灵活的身体难道真的会无中生有吗?这一切还是一个待解之谜。

刚生出来的孩子,他是站在人生旅程中一个令人印象深刻的起点。新生儿降生以后,有很长一段时间都无法自主,也没有能力做任何事情,就像一个虚弱或瘫痪的病人一样,需要别人的照顾。除了呜咽的哭声或疼痛的叫喊声以外,新生儿大部分时间都默而不语。往往当他一哭,我们就会直冲到他身边,好像有人需要我们帮助时一样。一直要到很长一段时间之后,大概是好几个月,甚至一年以后,新生儿才不那么娇弱,也比较像个孩子了。再过几年,他的声音也便变成了小孩子的模样。

我们可以把孩子身体上和心理上的成长现象,看作是一个成"人"的变化。换个角度来说,成长是一个神奇的过程。在成长的过程中,有一种内在的能量在启动新生儿原本能够自主的身体。这个能量一启动,新生儿的手脚便开始运动起来,他也开始学说话了。自此,新生儿不只具备了行动的能力,也有了表达思想意见的能力,这便是人的内化过程。

和其他动物相比,人类的婴儿在出生以后,有很长一段时间需要别人的照顾。从现实状况来看,这对新生儿的成长具有非常重要的意义。怎么说呢?其他动物不管出生时多么脆弱,几乎都得马上或在非常短的时间之内靠自己活下去。它们须马上会走,甚至得跟在妈妈后面跑,还要学会与同类动物的沟通方式。例如,小猫得学会喵喵叫,小绵羊也要懂得咩咩叫。虽然发出的声音很微弱,我们还是可以听见它们不断发出的嘶鸣声。动物的成长准备期很短又极简单,可以说,一生下来,其本能就已决定了它们的行为。好比顽皮的小老虎从出生的那一刻起,就已经会自己站立,在出生后短短的时间之内,就已经能灵敏地钻来动去。

每一种降临到这个世界上的动物,它不光只是具有外在的形体,还具有天生的潜在本能。所有的本能都是在动作中显现的,它们代表了不同物种的个别特征。有人认为,动物的特征是通过它们的行为而非外表归纳出来的。因此,动物身上拥有的那些植物所没有的特性,便可以统称为心理上的精神特质。连动物的心理精神特质在出生时都很明显,怎么可以说人类新生儿没有同样的天赋呢?有一项科学理论认为,动物现在的行为表现是经过一连串物种繁衍的经验累积而来的,难道人类的特征不也是如此吗?因为人类也是先直立行走,再不断发展出语言,并将经验传递给后代子孙。

所以说,在这里面必然隐藏着一个真理。让我以物品的制造方法来做个比拟。有些东西是经由机器快速大量制造的,完全一模一样;另外有些东西则是用手工慢慢做出来的,每一种都有所不同。手工制造的价值,就在于它带有艺术家的独特风格。这个比喻可用来说明其他动物和人之间在心理上的差异,动物就像是大量制造出来的产品,每种动物一生下来,就已经固定具有了跟同种动物一样的特性。相比之下,人则是"手工制造"出来的,每一个人都不太一样,好比是自然界制造出来的艺术品,每一个人都有他自己与众不同的特性。另外,人的制造过程缓慢又耗时。在人的外表还未显现出来以前,其内在就已开始发展,这一发展不是为了复制一模一样的人,而是为了要创造出一个全新的人。人的内在发展到现在为止仍然是一个无法预知的谜,我们能说的是,人类发展一直都要经历一个费时的内在建设过程,就像一件艺术品在呈现给大众之前,艺术家必须先在他幽静的工作室里进行一番精雕细琢一样。

人格的形成是一个看不见的过程,而无助的婴儿对我们来说更是一个谜。我们只知道婴儿将来会有无限的发展可能,但无从得知他会成为什么样的人、有什么样的成就。在婴儿柔弱无助的身体里,有着比其他动物更为复杂的独特机制。人是独立的个体,每个人所具有的独特意志使他完成具体的转化工作,并使自己向前迈进。音乐家、歌手、艺术家、运动员、专制君王、英雄、罪犯、圣人——都是经由同样的方式被生下来，但是他们每个人都带着各自的发展之谜来到这个世界，正是个性的发展激发着每一个人去做不一样的事。

孩子出生时的无助现象，曾经是哲学探讨的主要课题，遗憾的是，医学专家、心理学家或教育学者却从未曾对其产生过兴趣。在他们看来，孩子出生时的无助现象是一种理所当然的事实。虽然大多数孩子都能顺利度过这段无助的婴儿期，但这些影响仍会深埋在他的无意识底层，对孩子日后的日常生活会产生严重的心理后果。那些认为婴儿不只在行动上被动，其心智也空洞的假设，实在是大错特错。还有人认为，孩子在婴儿期过后之所以会神奇发展，完全是因为大人的悉心照顾和认真养育，这样的假设也同样是错误的。这类假设更会让爸爸妈妈产生一种责任感，以为自己就是启发孩子内在生活的力量，因此他们会把教导孩子视为就像在完成一件物品那样。为了发展孩子的智慧、敏锐感和意志力，他们会不停地提出建议，发出指令，就这样，大人赋予了自己近乎神圣的力量，并深信自己在孩子生命中的地位，就像圣经里所描述的上帝一样："上帝依照他的形象创造了人类。"

骄傲是人类最嗤之以鼻的恶行，大人将自己神化后所形成的自我膨胀，让孩子承受了许多苦难。孩子才真正握有通往自己内心世界的钥匙。孩子确实很小就能展现出自己的发展趋向和相当的心智天赋，他总有一天会尝试着展现出他的能力。这时候如果大人受到自我膨胀的影响，不合时宜地加以干预，可能就会抵消掉孩子的努力，挫伤他们的自我实现。大人的行为极有可能给孩子原本具有的天赋带来负面影响，这也许就是造成人类在传承中失败的原因。真正的问题在于，虽然孩子必须经过重重困难和持久的努力，才能充分运用与掌握他的心智，但是孩子有其精神层面，只是他们得花些时间去表现出这份天赋。

一个在孩子身上封锁、隐藏的心灵，正在逐渐茁壮成长，它正一点一点地让被动的躯体活跃起来，唤醒孩子的意志力，并开启孩子的意识。然而在现实环境中，却有另一股巨大的力量正向他袭来，且最终驾驭了他。在这个环境中，无人能感受到甚至接受人类可发生内在转变的事实,娇弱的新生儿没有受到丝毫的保护,也没有人帮他安度艰难的发育期。该环境中发生的每一件事对新生儿来说都是一种阻碍。

就这样,作为心理胚胎的孩子,只得靠自己的力量,在他所处的环境里求生存。事实上,正如生理胚胎一样,心理胚胎也需要外在环境的保护,它需要爱的温暖,需要人们尊重他的存在,需要一个能完全接受它、永远也不会阻碍它的环境。

一旦了解这些以后,大人必须改变对待孩子的态度。孩子是以心理胚胎的形象呈现在我们眼前的,它赋予我们新的责任。那个柔顺、优雅的小东西,那个受我们喜爱、被我们用过多的物质包围,就像我们的玩具的婴孩,必将唤起我们心中对他的崇拜。

在人的具体转化过程中,必须面对很多内在挑战。要理解尚未存在的意志,几乎是不可能的,但它最终为了激励及锻炼被动的身躯,必然会加以控制。从这一刻起,婴儿娇弱的生命霎时绽放了开来,婴儿开始有了意识,开始对周遭的环境感兴趣,在自我实现的努力下,肌肉也活泼起来,我们必须对孩子的努力给予同情,因为这段时间是孩子人格发展定型的关键期。这个责任是如此重大,我们应该借助科学方法,试着去了解孩子的心理需求,并准备一个符合孩子需要的生长环境。这是正在发展的这门科学长久以来的首要原则,这也是需要成人的智慧结合的科学,因为在人类发展史的最后结论完成以前,还有很多的工作等着我们去实践。

# PART 4
# 有吸收性心智的本质

幼儿的心智与成人大不相同,他靠自己的天生禀赋创造出高品质的成就。他不仅创造了语言,更创造了说话的器官,他也创造了各种各样的身体动作,及各种表达智慧的方式。

——玛利亚·蒙台梭利

**新**观念以生命为一切生物功能的中心,并且改变了以往的教育理念。学校不再是一个分隔的世界,孩子也不应与世隔绝,受到过度保护。许多心理学家对幼小的孩子进行了研究,他们从孩子初生的第一年就开始观察。发现人格的建构与塑造就始于这个时候。从心理层面来看,他们在出生时确实一无所有,一切为零!孩子刚出生时,肉体也几乎是瘫痪的,他不能做任何事。过一阵后孩子开始说话、走路,经过一关一关地克服,他最终凭着自己的力量与智慧将自己建造成为"人"。孩子内在的巨大力量吸引着我去研究,也吸引了许多其他科学家的注意。这种力量原本隐藏在妈妈的庇护下,而这些以往人们还以为孩子说话、走路都是妈妈教的。其实不是妈妈教的,而是孩子自自然然学会的。妈妈生产出的不过是一个小婴儿,正是这个小婴儿将自己建构成为了"人"。即便孩子的"母语"也未必是从妈妈那儿学来的,因为孩子可能出生在国外,他已能讲一口流利的当地话,而他的爸妈可能还没他讲得地道呢。所以他那口流畅的语言不是遗传的,既不是因为父亲,也不是由于母亲,而是孩子自己利用环境中的一切资源,来塑造他的未来。

一些心理学家对孩子从出生直到大学的成长进行了研究追踪。他们发现,在他们的发展过程中,有一些相当不同的、且各具特色的阶段,它们不可思议地与生理发展阶段相呼应。他们的这种阶段性变化令有些心理学家夸张地说:"成长是一连串的出生。"第一个时期大约是从出生到6岁左右,这中间或许有些变化,但他从始至终的心智形态是一样的。这一时期又可分为两个次阶段:从0~3岁、从3~6岁。其中前者的心智形态是成人无法介入,无法影响的;至于3~6岁的阶段,其心智形态是可以介入的,但须以某种特别的方式。整个这个时期的特点是他们的变化很大,从柔弱无助的婴儿变成跑跑跳跳、能说会唱的孩子,到他们6岁时就成熟得可以入学了。当然他稍早一点入学也可以，不过要参考本书所提示的原则。但我们要强调的是，6岁是一个新纪元，它也与生理的变化相对应，例如这时他开始换乳牙了等。从6岁到12岁这一阶段只是单纯地长大，没有很大的变化，其特点一般而言是显得十分平静与柔顺。

第三个时期是从12岁到18岁，这又是一个大的转换期，包括生理与心理两方面都会发生很大变化。好像世界各国都有这种普遍的共识，即到了12岁就要换层次更高的学校，以符合他新的心智层次。在第三个阶段，他的个性会变得很不稳定，相当叛逆且放荡不羁。但传统学校并不重视这些反应，只管照着课表上课，用体罚来惩治他们的叛逆。到了18岁他们可能上大学了，课业是十分繁重了，但在方法上却没有太大差别，因为他们大半的时间都是在坐着听讲以获取学位，这种灌输究竟能否学以致用实在令人怀疑。到这一阶段他们的生理虽已达到成熟，但由于他们只是从事着当年的研读、听讲，因而无法形成一个具有独立判断与自由意志的成人。事实上，只有实际的工作与经验才能帮助他们真正成熟。当你在纽约的街头上看到知识分子游行，高举着口号："我们没有工作！我们正饿肚子！"时，你应觉得这是对社会的一种控诉，虽然社会已为他们的教育投资了许多。

许多爱思考的人常常在想：为何拥有最崇高智慧的人，需要有如此漫长且艰辛的婴幼儿期，而其他动物却不需。还有许多人不禁要问婴儿期到底是怎么回事？他们觉得这里面似乎有无穷的奥秘。这的确是一个心灵创造的工作，一切由零开始。他并不像小猫变大猫一样，从尚未成熟的喵喵声逐渐发展变大声，也不像小牛、雏鸟在自我表达上只是叫声愈来愈响亮，对人类来说，这不仅仅是一个发展的问题，而是一个从无到有的创造问题。幼儿的心智与成人大不相同，他靠自己的天生禀赋创造出高品质的成就。他不仅创造了语言，更创造了说话的器官，他也创造了各种各样的身体动作，及各种表达智慧的方式。

这并不是在受有意识的"意志"所主宰，而是由潜意识的心智来完成的。它是一种不可思议的智慧，孩子那奇妙的创造工作就是借这种潜意识心智完成的。我们发现，在某种时候，环境中的某些方面会引起孩子强烈的兴趣，它表现出一种穿透整个生命的热诚，这就是一种潜意识的力量。

我们承认,孩子一生下来就有听觉,令我们惊奇的是,环绕他的声音有千万种,为什么他单挑人的声音来模仿呢?因为人的语言在他的潜意识心智中留下了特殊印象,引发一种特殊的感情与热忱,使看不见的肌肉纤维产生共振,从而复制类似的声音,而其他的声音就无法引发这种行动。这正是幼儿吸收语言的方式,它构成孩子心理人格的一部分,我们称它为"母语",以别于其他日后下工夫学来的语言。这是一种内在的心理作用所带来的化学变化。这种声音的刺激不仅进入孩子的心智,还能复制它将其变成自己的一部分。我们把这种心智叫做"有吸收力的心灵"。如果这个力量能继续发挥作用的话,我们很难想象其影响将有多大。

# PART 5

# 心灵是怎样建构的

人类的心灵似乎循着相同的路径发展。它也是从"无有"开始的,在新生儿的内部,即其心理层面,并没有任何现成的东西,心灵的器官也是围绕着一个敏感点产生的,在此之前也是不断地搜集资料,经由吸收性心智完成。如果我们不了解敏感期及其发生的顺序,我们就不明白孩子的心灵是如何建构的。

——玛利亚·蒙台梭利

如要进一步了解吸收性心智的秘密，我们就应研究产前及胚胎的生活。最近生物学的研究有一种新的趋势，以往研究动物或植物，采样大都来自成熟的个体，在社会学中研究人类也是如此。科学家现今试图采取相反的方向来研究人类或其他生物，即针对幼小或原初的生命来取样。为此，胚胎学逐渐受到重视，它是研究受精卵的生命来自两个成人细胞结合的后果的科学。孩子的生命始于成人，也终于成人，这就是生命的历程。

造物者为幼小的孩子提供了特别的保护，孩子是在爱中来到这个世上的，他既是出于父母爱的结合、爱的结晶，出生后又被父母的爱所包围缠裹。这种感情相当自然，它不是人工的，也不是出于理性的要求，与慈善家、宗教家或社会活动家所要唤起的同胞之爱不一样。只有孩子生活领域中所经历的爱，才是人类道德的理想境地，是一种自我牺牲、无怨无悔的奉献之爱。父母所做出的牺牲十分自然，他们是愈奉献愈快乐，一点也不认为这是一种牺牲。生命的本性就是如此。这种生命形式比"适者生存"的竞争形式要高尚得多。这是一种在本性之外，外加的一种特殊本能。所以，法国大生物学家法布尔在总结物种之所以延续时提出，这不仅是因为它们有天赋的自卫武器，更由于有一种伟大的母性本能。在低等动物保护幼小一代时所显出的智慧就证明了这一论断。

19世纪的科学家曾认为，在人的胚胎细胞中有一个具体而微的迷你小人，然后逐渐长大，一如其他哺乳动物。他们甚至还为这一"迷你小人"到底是来自男人或女人展开了争论。直到显微镜的发明，才使这方面的进一步研究成为可能。他们最后只得非常不情愿地接受这个结论：原来胚胎内并不存在任何先天的人的雏形。正是受精卵一分为二，由二变成四，就这样不断地繁增，形成了胚胎。胚胎学的研究截至目前的发现是：如同一个人要建造一栋房屋必先累积许多砖块一样,当细胞分裂累积到一定数目时,就开始筑成三道墙,然后在墙内开始构筑器官。

这种器官建构的方式十分特别。它先开始于一个细胞、一个点,然后环绕这个点的细胞开始狂热、加速地分裂,当这种狂热活动停止时,器官就产生了。发现这种现象的人解释说:器官发生的地区涵盖有许多敏感点。器官原先各自独立发展,好像每个器官是只为着自己的目的。在它们密集活动时,围绕着一个中心,显得十分团结,好像充满着理想。它们不断地改变,与周围其他的细胞愈来愈不相同,呈现出预定要形成器官的样式。当不同的器官各自独立地完成时,就出现一种力量使它们相互关联、结合在一起,彼此互相依存,缺一不可。婴儿就是在这个时候诞生的。首先是循环系统联系全身的器官,然后是神经系统完成整个联结。在这里所显示的建构计划都立基于一个点上,由该点出发完成一个一个的创造工作,一旦器官不断建构完成,它们必然紧密结合在一起,显出一个独立的生命体。所有高等动物都遵循这一计划建构,自然界中只有这一种建构计划。

人类的心灵似乎循着相同的路径发展。它也是从"无有"开始的,在新生儿的内部,即其心理层面,并没有任何现成的东西,心灵的器官也是围绕着一个敏感点产生的,在此之前也是不断地搜集资料,经由吸收性心智完成。当它们累积到一定程度,就出现了许多敏感点,其强烈程度是人们所无法想像的。语言的获得就是一例。由敏感点所造成的并非心灵的发展,而是心灵所需的器官,是心灵所需要的。同样的,心灵器官原先也是各自独立发展的,例如说话、用双脚走路、判断远近、辨认方向以及其他协调运动等能力都是如此,它们每个都围绕一种兴趣发展,相当明显地吸引孩子朝向某类活动。当该器官形成之后,那种敏感性也就消失了;当所有器官齐备,它们就结合起来成为心灵的实体。

如果我们不了解敏感期及其发生的顺序,我们就不明白孩子的心灵是如何建构的。常有人争辩说,以前的人不懂敏感期,一样培育出健壮的后代。但是要提醒的是,我们现今生活的时代,许多自然所赋予母亲的本能大量受到压抑或消失了。过去母亲可以本能地协助孩子在敏感期发展,走到哪里就把孩子带到哪里,正好提供了孩子所需要的环境，且用母爱保护他，但现今的妈妈已经失去这种本能，人性也趋向退化。所以研究母性的本能重要，与研究孩子自然发展的重要性一样，因为这两者是相辅相成的。

母亲必须回归自然。母爱也是一种大自然的力量，理应受到科学家的重视，他们应致力研究、协助母亲重拾她们失去已久的本能。我们必须教育母亲学会这种知识，让她们可以在孩子一出生就给予心灵的保护，不需要交给受过训练的护士，那种护理尽管十分讲究卫生，但只是表面上满足了孩子生理上的需要。事实上，在这种照顾下的孩子，很可能死于精神困顿或心灵匮乏。

这样骇人听闻的事在荷兰的某一城市就发生过，有一个机构试图教导低收入的母亲实施卫生保健，将一些失去父母的孩子安置在很完善的、科学管理的环境中，那里有相当营养的食物，且由受过最新观念训练的护士照顾。但不久还是引发了疾病，导致许多孩子死亡。由父母照顾的低收入孩子反而没有患相同的病，似乎比妥善照顾的孩子健康。庆幸的是，该机构的医生了解到他们缺乏某种重要的条件，并且立刻做了些补救。护士开始学着母亲对待孩子的方式，抱抱他们，与他们玩耍。这对科学护理一无所知的妈妈，由发自内心的爱所引导，并与社会有适当的接触，才使那些孩子终又逐渐恢复笑容与健康。

# PART 6

# 孩子的行为能力

孩子刚出生时不具任何行为能力,几乎是瘫痪的,借着练习学会了走路、跑步以及像其他动物一样攀爬,但必须靠他自己的努力。这种适应性的工作,造物者只交付给儿童来完成,成人已不易适应。

——玛利亚·蒙台梭利

尽管行为主义的研究及据此发展的理论都不能完全解释生命的奥秘，不过它们对事实的厘清很有帮助，让我们弄清了生长是如何发生的。可以确定的是，建构的计划只有一个，各种动物的生命都循此发展。这个计划可以追溯到胚胎，可以追踪儿童心理的发展，也可以从社会现象中发现。许多动物早期的胚胎好像都很类似，不论是人、兔子或蜥蜴，这是很有意义的。脊椎动物的成型都经过类似的历程。但当胚胎的发育完成时，其间的差别就很大了。有一件事是可以断定的，那就是，新生儿是个心理胚胎，出生时每个孩子都是相似的，因此，在心理胚胎的成长期、心灵的成形阶段，都需要相同的对待与教育。不论将来成为什么样的人，是天才或苦力、圣贤或罪犯，他们都要经历同样的发展过程。因此，生命头几年的教育是相似的，应由自然的本性来表达。

一个个体的内在个性与自我，是自然而然发展的，非我们所能左右，我们仅能助一个人实现他自己，为他除去生长过程中影响自我实现的障碍。我们已经确立敏感点存在的事实，器官就是环绕着敏感点形成的，然后出现两种系统——循环与神经系统，来进行联结与整合。但是科学无法进一步解释如何成为生命体的事实，以及如何成为自由与独立的个体、与众不同并有自己的个性。

1930 年，美国费城的学者在生物学的研究上，有一项与现行理论完全相反的发现。他们发现，大脑中的视觉神经中心，是在视觉神经出现以前形成的，更远在眼球形成以前。由此导出的结论是，在动物中，心理的形式先于生理的形式。每种动物的本能、自然的习性早在表达它的器官形成以前就已存在了。如果心理部分事先就存在了，就意味着生理部分是自动完成自己的建构，使自己符合心理需求、符合其本能。各种动物的肢体与器官，是最适于表达其种属本能的。由此可见，新的行为主义理论与旧的观念——认为动物为适应环境而采取某种习性,是不同的。以往认为个体以意志的力量,引起身体结构在生存竞争中作必要的修正,以适应环境。逐渐地,经过无数代的演变,身体的调整和适应终于完成。新的理论并未完全否认这些,但把动物本能的习性或行为放在了核心的地位,在其能力范围内,也可以成功达成适应环境的工作。

在牛的身上我们可以发现这个例子。牛是一种强壮、结实的动物。在世界地质学史上,也可以追溯它的演进过程。当地球覆盖着植物时,它就出现在了地球上。有人会问,为什么牛会选择这种最难消化的青草作食物,并为此发展出四个胃来呢?如果只是为了生存问题,它吃别的东西可能更容易,因为其数量也很多。但数千年过去了,我们仍看见牛依然只吃草。经过仔细观察,你可以看见,牛是在靠近草的根部将草咬断,并未连根拔起,好像它们知道青草需要这样修剪才能使地下茎长得好,否则很快就要开花、结籽、枯死。后来人们又发现,青草对植被也有相当的重要性,因为它能防止水土流失,不仅稳固、保护土壤,而且使土壤肥沃,使其适合植物生长。这就显示了青草在自然秩序中的重要性。除了啃咬之外,有两件工作对青草的维护也很重要,一是施肥,一是带着重量的滚或压,有哪一种农业机器能将这三种工作做得比牛更好?这种美妙的机器除了协助草的生长、维护土壤之外,还能供应牛奶。所以牛的行为似乎是为着自然的目的而设计,正如乌鸦与秃鹰是为另一方面的服务设计的,它们是自然界的清道夫。

从无数个动物选择食物的例子所得出的结论应该是:动物不仅是为满足它们自己而吃,而是为着完成一个使命;不论生物或无生物,借着所有成员的合作,共同为了整个造物的和谐。有一些生物吃得相当不规律,也不仅是为维系生命而吃。它们不是为活着而吃,而它们活着却是为了"吃"。例如蚯蚓,它每天吃大量的泥土,几乎是其身体容量的 200 倍。达尔文是第一个提到,如果没有蚯蚓,地球可能没有这样肥沃。

蜜蜂传播花粉是另一个熟悉的例子。我们从行为主义来看,动物牺牲自己为其他生命的生存而效力,不仅是为自己的生存而已。类似的情境在海洋中也可以发现,有些单细胞生物的功能好像过滤器,除去水里的某些有毒盐分,为达成此种功能,它们要喝巨量的水,如果以人的比例来说,约每一分钟要喝一加仑的水。动物的生计与地球生态的关系,动物本身并不知道,但更高层次的生命、地球的表土、空气与水的净化皆有赖于它。

从这里可以清楚地看见,似乎有个既定的计划存在,动物的器官就是为完成此计划,生命的目的就是为服从这"隐藏的命令",它使一切造物和谐并创造出一个更美好的世界。这世界并不是为我们的享受而造的,我们的存在是为着这个世界的向前进化。

当我们研究人类并与其他动物比较时,发现与它们确有许多不同。主要的不同是人类不具特殊的运动方式,或有特定的栖息地。所有动物中只有"人"最能适应各种天气,热带或极地,沙漠或丛林,只有"人"可自由地去他所喜欢的地方。人也能从事最多样化的运动,而且能用双手做事,是其他动物所不及的。对"他"来说,似乎没有什么不能的,他相当自由。人类有最多种的语言,他能走、能跑、能跳、能爬、能像鱼一样游泳,且能从事富有美感的运动,如舞蹈等。然而,在孩子身上,在出生的时候,没有一样能力看得见,必须一项一项地在童年期学习。

孩子刚出生时不具任何行为能力,几乎是瘫痪的,借着练习学会了走路、跑步以及像其他动物一样攀爬,但必须靠他自己的努力。这孩子不仅获得所有人类的能力,远超过其他动物,而且调整自己去适应他所要面临的气候、生活环境以及文明社会愈来愈复杂的要求。这种适应性的工作,造物者只交付给儿童来完成,成人已不易适应。成人似乎永远很难精通外国语言的腔调,即使该语言比他自己的母语简单多了。成人可能喜欢某个环境,只能把它放在记忆里;而孩子却将它不知不觉地吸收了,构成内在心理的一部分。孩子就是如此将所见、所闻融入,成为他的所有、成为他的一部分。语言是个明显的例子。心理学家将这种记忆力称为内在美,它的任务是为个体建构一种行为,不仅适应其所属的时间与空间,也适应该社会的精神意识。成人发现自己常带着感情与偏见,尤其是宗教方面,以客观理性来讲应该拒绝,可是他们很难摆脱,因为它已成为自己的一部分、在自己的血脉里面。

如果我们要改变一个国家的风俗习惯,或希望加强某一民族的某些性格,我们必须以孩子为突破口,从小孩开始,因为在成人身上所能做得太有限了。要改变一个民族或一个国家,变好也罢,变坏也罢,要唤醒宗教或提升文化,我们都必须仰赖孩子,他们才有无比的能力。

# PART 7

# 三岁孩子

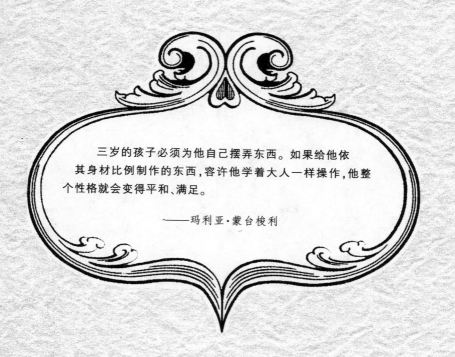

三岁的孩子必须为他自己摆弄东西。如果给他依其身材比例制作的东西,容许他学着大人一样操作,他整个性格就会变得平和、满足。

——玛利亚·蒙台梭利

造物者好像在三岁阶段画了一条界线，把三岁以下和三岁以上分开。前者虽然充满创造性及重要事件，但如同出生前的胚胎期一样，成了遗忘的年代，因为三岁才开始进入意识与记忆的阶段。在心理胚胎期，有些发展是分开的、各自独立发展的，如语言、四肢的运动与协调以及部分感觉的发展；好像身体的器官在产前一个接一个的出现，但是他一个都不记得。这是因为人格尚未形成，只有当各部分都完成时，这种统合才可能。这个潜意识与无意识的受造物，这个被遗忘的孩子，似乎从人们的记忆抹去，当他满三岁来到人的面前时，似乎是一个不可理解的人。

他与我们之间的沟通似乎被造物者挪走，除非我们知道他早期的生命，或认识他的本性，我们很可能不自觉地毁坏了他已建构好的部分。人已经离弃生命的自然道路来创造文明，受文明洗礼的人类只知保护物质，却不知保护人类的心灵，结果留给孩子的是监禁——充满了障碍的环境。

孩子完全在大人的监管之下，除非他们有来自造物者或科学发现的启示，否则这些成人会给孩子的成长造成极大的阻碍。三岁的孩子必须借着在环境中活动才能继续发展，以运用这三年来所创造的能力。他已忘记那几年发生的事件，但所创造的能力已浮到意识层次，要借由活动实现出来。由智慧导引的"手"，借着玩耍，执行心灵的意志。

似乎对孩子来说，之前借心灵探索世界，而今借双手探索世界。他要使以前获得的能力更趋完善，如语言等；其发展固已完备，但还要持续扩充内容直到四岁半。其心智仍拥有心理胚胎期的吸收能力，他不知什么是疲倦；如今双手又成了理解事物的直接器官，此时的发展主要凭借双手的工作而不是双脚的漫游。这个年龄的孩子能持续地玩耍，如果双手不停地忙碌的话，他反而如鱼得水般的快乐。成人称之为幸福的游戏年代,市面上也设计了许多玩具来迎合孩子活动的需求,结果他塞满了许多无用的玩具,而不是有助心智发展的工具。孩子想触摸每一件东西,但成人只给某些东西,而拒给其他的。真正可以触摸的是沙子,没有沙的地方,有钱人就买些沙子。水也可以玩,但只能一点点,因为水会弄湿衣服。水和沙会把衣服弄脏,要麻烦大人洗。当他玩腻了沙,大人就给他扮家家酒的玩具,有小厨房、小屋子、玩具钢琴等,都不是真正能用的东西。他们看出来孩子想学大人一样做家事,可是给的东西又不是真的,实在可笑!

没人陪的孩子,父母会丢给他一个假人——洋娃娃,当然洋娃娃可能比难得陪他的爸爸、妈妈实际一点;但洋娃娃不会讲话,也不会回报他的爱,只能勉强地作为与社会接触的代用品。玩具变得渐渐重要,因为人们认为有助智力发展;这当然好过没有东西玩,但问题是孩子很快就厌倦了,又要新玩具。孩子有时故意把玩具弄坏,人们以为他喜欢把东西拆成碎片,或有破坏欲,但这是人为造成的性格,因他没有适合的东西可以摆弄。孩子不会很喜欢这些玩具,因为它们不是真的。所以孩子变得无精打采,不能专心,渐渐脱离常轨,甚至人格扭曲、偏差。其实这个时期的孩子有意、且认真地要在各方面模仿大人,以使自己更完美,可是这种努力总是被否定,使他不得不走向偏差。

越是高度文明的孩子越可悲,生在简单社会的孩子就平和、快乐得多,可以自由使用周围的东西,因为那些东西不是那么昂贵,不用担心会打破。母亲在洗衣、烤面包时,孩子也可以在一旁参与,如果找到适合他的事,就能为自己准备生活。

这个事实毋庸置疑:三岁的孩子必须为他自己摆弄东西。如果给他依其身材比例制作的东西,容许他学着大人一样操作,他整个性格就会变得平和、满足。他不在乎生活环境里不常有的东西,因为他的玩要是要让自己适应所处的世界,而且造物者的旨意是:使他享有完成事物的快乐。所以"新的教育方式"是提供合乎孩子力量、尺寸的东西,以引起他活动的兴趣。好像成人在家或在田间工作的方式一样,孩子也应该有属于他们的家和田园。不需给他们玩具,要给他们一个家;不需给玩具,要给他们可以用小型工具耕耘的园地;不用给他洋娃娃,要给他一群同伴,让他们去体验社会生活。我们用这些来取代过去的玩具。

一旦这些障碍除去,把虚假的玩具扔在一旁,给他真实的东西,他的反应可能出乎意料。孩子会出现不同的人格,坚持他的独立、拒绝帮助。他清楚地表示要独立做事,而使母亲、保姆、老师都感到惊讶,成人只能在一旁作观察者,现在孩子成了环境的主人。

关于我的早期实验,就是许多年前很幸运地在罗马看到的事实,如果不是因为情形特殊是看不到的。如果当初儿童之家是设在纽约的高级住宅区,可能不会发生值得注意的事,就像许多有钱的学校,也许并不缺乏可以摆弄的物件,但许多其他的事就可能带来成长的阻碍。

当初有利实验的三个环境因素是:

1. 学校位于极贫穷且社会情况甚艰难的地区。穷人家的孩子可能苦于物质的缺乏,但他拥有自然环境,所以内在是富有的。
2. 这些孩子的父母都是文盲,无法提供孩子自以为是的帮助。
3. 老师都不是专业的,所以不受传统训练的偏见影响。

如果在美国,实验可能就不会成功,因为他们要找最好的老师,而"好老师"表示他学了一堆对孩子没有帮助的东西,而且满脑子都是与"孩子自主"相反的理念。老师一味地把自己的理念强加在孩子身上,只会阻碍孩子。如果我们希望实验得到成功,最好以贫穷孩子为对象,提供他们未曾经历过的环境。给予科学设计的教具,以引起热烈的兴趣后,来唤醒他的专注力。40 年前这个实验引起了很大的震撼,因为人们从来没有看过三岁小孩有这样的表现。然而专注只是基本的表现,接着一项一项地去探索、操作,孩子忘情地流连其中。在过去无法使他满足的传统环境中,他总是跳来跳去,无法专注于任何一件事,但我们已经证明这种情形不是他真正的性格。

我们必须认识到,三岁孩子的内在有一个老师,一直无误地引导他。当我们说一个自由的小孩,意即他是跟随内在强有力的自然引导。受自然引导的孩子会把工作做得很彻底,例如,我们原只期待他擦桌面,但他连桌脚、桌边、底面、缝隙都能擦到。如果老师给他自由、不加干涉,他就会全神贯注投入工作。大多数老师总是忍不住不断地打岔、施教,所以习惯受内在自然引导的孩子,无法与爱施教的老师相处。老师可能认为他应由易而难渐进地引领孩子,由简单到复杂,然而孩子可能喜欢先难后易,甚至有时是跃进的。

老师的另一个偏见就是对疲劳的看法。当孩子兴趣浓厚的时候,是不会觉得疲累的,可是老师每几分钟就要他换种方式并休息,反而使他失去兴趣,并感到疲累。所以一般从师范学校毕业的老师,根深蒂固的持有这些偏见,几乎无可救药。今日大多数的大学也都持这种偏见,认为每45分钟就应休息一下,这实在是致命伤。教育学的世界是遵循人的逻辑,但"自然"却有不同的逻辑、不同的法则。人的逻辑把心智活动与身体活动当成两回事,认为心智活动就应安静地坐在教室里面,身体活动就应把心智摆在一边,这等于把孩子切成两半。当孩子思考的时候,不准他使用双手,但自然却显示:孩子不用双手便无法思考,甚至他还须不停地走动,像希腊四方游走的哲学家一样。动作与思考同时进行?!

我们尽最大的努力帮助老师脱离这些以及其他的偏见,我们最大的成就也在这里,他们大部分能脱离。如果大体的教育还有设想的空间,而受过训的老师稀少,我们只要说:"谢天谢地!"这是很理想的情况。

当然,新老师必须了解某些基本的事情。例如,在我的第一个实验学校,我亲自指导我的助理,她是公寓管理员的女儿,我告诉她为孩子示范教具特定的使用法与顺序后就可以走开,让孩子自己操作。她虽然没受过教育,但执行得很好,所以当孩子表现的效果十分完美时,她也感惊讶。她以为有什么天使或神灵替他们做,有时十分震惊地跑来跟我说:"夫人,昨天下午两点钟,孩子开始写字了!"从孩子结构漂亮的句子看来,似乎有神力与他同在,因孩子从来没写过,也还不会阅读。

经验告诉我们,老师必须越来越放手,保姆要为孩子准备好材料,让他们自己动手。我们的工作是要证实给老师看,干涉是没有必要的,即使做错了也没关系,这也叫做"非干预教学法"。老师需要判断孩子可能需要什么，如同仆人细心地为主人准备好饮料后退下，由主人随意饮啜。老师也要学习谦卑，不要把己意强加在孩子身上，并同时保持警觉，注意孩子的进展，准备孩子进一步所需要的教材。

中下层阶级的家长最热心配合我们的教育方法。当孩子写出第一个字时，不识字的父母，高兴得把他们的孩子举起来；然而有钱人家的父母，只表示淡淡的兴趣，可能还追问学校有没有停止教美德方面的课，至于写字的成果好像无关紧要。想要做打扫工作的孩子，却会有父母对他说，这是佣人的工作，他来学校不是为了学这些低贱的工作。另外一个妈妈认为自己的孩子太小，还不适合学算数，怕脑子用坏了，而出面阻止。所以孩子有很复杂的情结，既有优越感又有自卑感，成了心智上的跛子。

在我们的教育实验里，外人认为很糟的，却具有实际的价值，其效果不仅影响孩子，也影响家长。在最初的儿童之家，孩子开始练习与家务有关的活动后，回去告诉他们的母亲说，衣服上不可以有污点、水不可以洗出来等等，不久，母亲的衣服开始变得洁净无瑕，也很注意整齐。不少父母开始想学读写，因为孩子已经学会了，整个社区的气氛、环境因孩子而开始改变，好像我们的手中有根魔杖。

# PART 8

# 让孩子回归自然

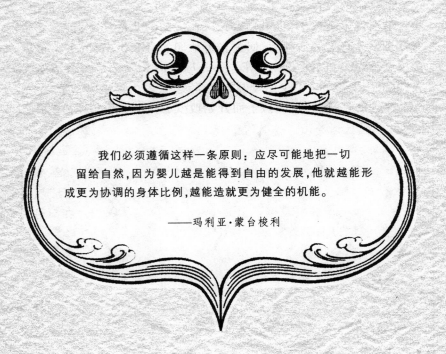

我们必须遵循这样一条原则：应尽可能地把一切留给自然，因为婴儿越是能得到自由的发展，他就越能形成更为协调的身体比例，越能造就更为健全的机能。

——玛利亚·蒙台梭利

**许**多好心人建议我,何不在原来的幼儿教育方法基础上继续展开研究,以便于更有利于对 7 岁以上儿童进行新式教育。由此可见,他们实际上是对我已提出的那些法则是否能应用于这一阶段的儿童产生了怀疑。据我了解,他们的异议主要在道德规范方面。

难道儿童就不应该尊重他人的意愿?难道他就不会在有朝一日去自告奋勇地执行一项必须完成的任务?难道他就不应该具备自我牺牲精神?

此外,我们还得面对有些人为 6 岁以上孩子所设计的旨在对他们进行脑力训练的各式各样稀奇古怪的算术表和语法,你是打算全部取消,还是让儿童屈服于这些所谓的必修课程呢?

显而易见,整个争论都围绕着对我所提出的"自由"一词的理解,而这种"自由"正是我所提倡的整个教育体系的不可动摇的基础。因此,有必要认真对待。

当然,我也清楚,要给他们一个直接、清楚、令人信服的回答,也不那么容易,因为哪怕是一些已为人们所坚信不移的问题,同样也免不了了产生争议。

举一些类似的例子或许能更清楚地表达我的意思。在对待婴儿方面,我们以前采取的是一些什么样的方式呢?许多人至今仍会对那些早已习以为常的惯例记忆犹新,比如,必须将一个婴儿捆束起来,要不他的腿就会长成螺旋腿;必须将他舌下的韧带割断,这样就能保证他到年龄后自然地说话;必须一直给他戴上帽子,否则他的耳朵就会凸出来;必须认真对待婴儿着的姿势,以免他那柔软的颅骨发生终身畸变;有些母亲会不厌其烦地去捋或捏宝宝的小鼻子,以为这样就能让他有一副又长又尖的鼻子;还有些母亲在婴儿出生后不久,将一种小金耳环穿入她们的耳垂,据说这样可以"改善宝宝的视力"。到今天,这类做法在有些国家已经被人们弃之不用了,不过还有些国家仍然保留着这些传统。再举一例,我们都有过帮助幼儿走路的经历,有些望子成龙的母亲,甚至在宝宝出生后的头几个月里,就每天不厌其烦地花上好几小时来教婴儿走路。她们会拧着婴儿柔弱的身体,充满新奇地观察着他们的小脚漫无目的地移动。令人可笑的是,她们居然会以此认为宝宝已经开始学走路了。实际上,这一时期婴儿的神经系统并未完全发育,他们的动作也还不可能协调。事实上,婴儿的脚弓确实在这时渐渐成形,于是他们便开始尝试大胆移动小腿,这些母亲们因为不知情,居然把孩子在这方面的进步归功于她们的教导有方。一旦宝宝们刚刚具有运动力,虽然这时他还没有平衡感,因而不具备站立的能力,母亲们便用带子将孩子的身体提起来,将他们牵引着在地上行走。有时,她们甚至会把孩子放进一种铃状的竹篮里,这种篮子的底部比较宽大,可以防止孩子翻倒。她们就这样把婴儿的身子捆在竹篮里面,将他的手臂吊在外面,使婴儿的整个身体通过竹篮的上部来支撑。在这种装置下,宝宝尽管无法通过脚站立起来,不过他已能向前移动双腿了,而宝宝的这种表现就被做母亲的看作是在走路了。

这些大人强加给孩子的支持物,就如同我们配给残疾人用作支撑的拐杖一样,当这些已经习惯了在篮子的辅助下移动的孩子,突然给他去掉篮子时,他必定会摔倒。

当我们将科学引入拯救儿童的领域时,它会给整个社会带来什么呢?我要声明的是,它不会教你如何使孩子的鼻子挺起或耳朵竖立的完美方法,也不会教你如何让婴儿出生后立即走路的方法。绝对不会!我只是向你证明:自然本身就决定着头、鼻及耳朵的形状;人(当然包括小孩)无须割断舌下的韧带就会说话;腿会顺势长直的,行走的机能也会自然产生。人们在这些方面最好不要施加人为的干预。

我们必须遵循这样一条原则:应尽可能地把一切留给自然,因为婴儿越是能得到自由的发展,他就越能形成更为协调的身体比例,越能造就更为健全的机能。我主张取消各种束缚,应该让他们在"恬静的状态下"保持"最大限度的安宁"。应该让婴儿的双腿保持完全放松,让他在躺倒时可以完全得到舒展,不要像许多人所做的那样将婴儿"逗"得上下乱动。在时机还未成熟之前,切莫不要强迫孩子走路,因为只要时机一到,他就会自己站立起来,并能自然地行走。

令人庆幸的是,今天大多数母亲已接受了这一观点,那些卖绑带、布袋和篮子的小贩们也只好另谋它途了。

结果怎么样呢?一个有目共睹的事实是:孩子们的腿长得比以前更直了,他们走得也比以前更利索了。

这已成为一个既定的事实,当然也是一个最令人欣慰的事实。想想看,由于我们过去一直相信儿童的双腿、鼻子、耳朵甚至头形都是大人呵护的直接结果,我们为此曾经历过多少忧心忡忡的日子呀!因为我们感到责任是如此重大,以致每个人都觉得自己难以胜任!有了这一认识后,我们现在则可以说:"大自然会考虑这些的。我们只需给予孩子以自由,观察他健康地成长。那就让我们充当这一奇迹的旁观者吧。"

在儿童的内心生活方面,我们也有过类似的经历。我们都曾有这样的共识,那就是,帮助孩子形成性格、发展智力、学会表达感情等,所有这些都是非常必要的。我们也曾为此而忧虑不已。我们常常自问:我们该怎样帮助他呢?就像做母亲的能经常捏她们孩子的鼻子或用带子捆绑他们的耳朵那样,我们能用这类"特殊"的方法去束缚他们吗?事实上,人的性格、智力、情感是与其身体的成长同步进行的,如果我们缺乏这种认识的话,到时候我们除了任人摆布还能干什么呢?

要明确的一点是,我们既不是精神的缔造者,也不是物质的创造者,是自然在掌控着一切。如果我们确信这一点,我们就得承认,"不为孩子的自然发展设置障碍"是一条基本原则,同时,不要将许多问题孤立开来加以对待,也就是说,不要去单方面追究什么因素最有助于个性、智力和情感的发展。实际上,只要搞清楚一个问题,就可以揭示出教育的基础,这个问题就是:我们怎样给予孩子自由?

只有遵循自由的原则,才能为孩子设计出一套科学的、有利于其身体成长的方案。只有在一种自由的氛围中,人的头、鼻、耳的发育才能达到最完美的状态。他的步态也将在其先天能力基础上达到尽善尽美。也唯有自由，才能引导孩子的性格、智力与情感得到最大限度的发展。同时，这种自由还要求我们教育者应该以一种宁静的心态去关注孩子成长中出现的所有奇迹。这种自由还能把我们从虚构的责任与危险的幻想所造成的痛苦重压下解救出来。

我们成人的不幸就在于，当有人告诉我们，那些将我们压得喘不过气来的责任实际上与我们无关时，我们却还在自欺欺人地认为我们正在为完善它们而努力，而实际上它们是独立于我们而自我完善的！当有人向我们挑明这个道理以后，我们才为此而感到忧虑不堪，并抱怨自己怎么会如此愚蠢。但我们也不肯就此罢休，还会思考更为深奥的问题：那么，什么才是我们的真正使命与真正责任？如果我们以前所做的一切都是在自欺欺人，那么什么才是我们所追求的真理？我们犯了渎职罪吗？我们应当承担什么样的罪行？

从婴儿"身体改善"的历史，可能使我们从中受到一定的启发。在这方面，卫生学的努力方向就极为正确，它没有将自己局限于人体解剖学的范围。相反，它不仅让人们对身体的发展有了一个一般的了解，而且使每一个人确信，身体的发展是自然的。事实上，婴儿的幸福与体形的完美没有什么关系，真正需要加以科学解决的是高得令人惊异的婴儿死亡率。

在疾病不断侵袭婴儿身心的现实状况下，我们却去考虑他们鼻子的形状、腿的弯曲等，而对于儿童死亡率这样一个关系到生死的真正问题竟无人关注，这实在让人感到离奇。我相信许多人像我一样听过下面一段对话多遍。"在儿童看护方面我很有经验，我有过9个孩子。""有几个还活着？""2个"。如此低的成活率，她居然还把自己视为一个孩子养育方面的权威！

死亡统计所披露的数字是如此之高，它不仅限于一国或他国，这种可怕的死亡率甚至在危及整个人类社会。有两种因素应对此负责，首先毫无疑问是婴儿所特有的脆弱性，其次是人们对这种脆弱普遍缺乏保护。错误还不在于人们缺乏良好的愿望，也不在于父母没有爱子之心，而在于人们的无知，在于人们对可怕的危险毫无察觉。就我所知，目前对婴儿生命危害最大的是传染病，特别是那些内脏器官的传染病，这差不多成了所有死亡事故的主要原因。这类疾病常常还由于照管婴儿的人的错误而加重，他们的错误主要是由于对保健常识令人吃惊的无知和对婴儿膳食毫无计划。包孩子的尿布十分肮脏，她们就将其在太阳下一次次地晒干，不洗就给孩子换上。细菌在发酵后会很明显地引起口腔发炎，做母亲的却从不注意清洗自己的乳房，也不清洗婴儿的口腔。给婴儿喂奶根本就没有规律，孩子的哭声就是要给他们喂奶的唯一指令，无论是白天还是晚上，喂奶时间都是听从这一信号。孩子越是因患消化不良症而引起的病痛，他就越是哭叫，大人便越是频繁地给他喂食，这样孩子的病就只会不断地加重。我们差不多都见过母亲怀抱着发烧的孩子的情形，为了使他安静下来，做母亲的只好将奶头一直插在嚎哭的宝宝的小嘴里，此时我们一方面感受到了那些母亲所充满的自我牺牲精神，另一方面也十分体谅那些做母亲的烦恼！

为此，科学为我们制定出了一些简单的原则，它要求人们尽可能地讲究卫生。它所阐述的每条原则都是那样简明，如果人们还不明白这些简单的原则就是为他们制定的话，那真会令人震惊。看看这些原则是不是十分简明吧。比如，最小的婴儿也应该像我们成人一样有规律地进餐；孩子在消化前一次的食物后，应喂一些新鲜的食物；应根据婴儿的年龄月份和生理功能的发展来调节饮食，可在间歇数小时后再喂奶；不能让任何年龄的婴儿舔食干面包，因为面包屑很可能会被孩子吞下，而此年龄段的孩子又无法消化它。最后一点尤其要引起注意，做母亲的为了阻止孩子啼哭，经常会将干面包塞给孩子，这种情形在下层社会十分突出。

母亲们感到忧虑的是：当孩子哭闹时，我们该怎么办呢？而实际上，她们会吃惊地发现，过一段时间以后，她们孩子的啼哭大大减少或完全不哭了。她们甚至发现，就是那些只有 1 岁大的孩子，在间歇 2 小时的喂食期间也显得十分安静，脸蛋红润，眼睛睁得大大的，他们是那样的安静，犹如没有一点生命存在的迹象，就像大自然刹那间的庄严静止一般。

孩子们为什么会不断地哭泣呢？这些哭声实际上是用痛苦和死亡表述事态的信号。然而，世界对这些哀叫的小东西竟感到无能为力，他们被捆束在层层襁褓之中，常被交给一个不可能胜任的小孩照看，他们既没有自己的房间，又没有自己的床。

是科学拯救了他们，并为他们创造了保育室、摇篮、婴儿室以及合身的衣服。大工业为断奶后的儿童特别准备了卫生的食物,卫生学专家为他们提供了营养品。一句话,给他们提供了一个完全崭新的世界——清新、充满智慧与欢乐。孩子成为赢得自己生存权利的"新人"。这一切与卫生法则的传播成正比。

这一切使我们明白,应允许孩子有精神上的自由,因为有创造力的自然比我们更能塑造他的精神,当然,这并不意味着我们应对他的精神予以忽视甚至放任自流。而事实上检视我们所做的一切就会发现,虽然我们不能为塑造孩子独特的性格、智力与感情施加直接影响,然而我们却忽视了许许多多的职责与关心,孩子们在精神上所表现的某些畸形特征正是与这些被忽视的东西有关的。

因此,自由的原则并非是放任的,而是引导我们从幻想进入现实,指导我们积极有效地照顾儿童的原则。

# PART 9

# 儿童的公民权利

被剥夺了公民权的孩子,就像脱了臼的手臂一样。
在这只脱臼的手臂回复到原初状态之前,人类是不可能使
其自身的道德得到进化的。只有当这只脱臼的手臂复位以后,
这个人才能不再忍受因受伤的肌肉组织所致的疼痛与麻痹。

——玛利亚·蒙台梭利

卫生学已将自由注入婴儿的生理生活中，它具体表现为，取消包裹带、让儿童享受户外生活、延长儿童的睡眠时间直至他自己醒来，等等。但在我看来，这些还仅仅只是让他们获得自由的手段。让他们获得自由的更为重要的措施是，在儿童迈出生命旅程之初，就使他们摆脱疾病与死亡的威胁。一旦将这类障碍清除，不仅儿童的成活率会大幅度提高，而且他们的生长发育也能迅速得到改进。卫生学在帮助儿童增加身高、体重，使他们更为漂亮方面会起到一定的作用，但它不可能完成所有一切工作！它充其量也只是排除了某些妨碍儿童生长的因素。也就是说，有些外部的限制条件妨碍了身体的发展和生命的自然进化，而卫生学则使孩子冲破了这些枷锁的束缚。每个人都从中感到：儿童应该得到自由，同时也应认识到，"儿童生理与生活条件的满足"与"自由的获得"之间具有相对应的关系。由于护理方面的进步，婴儿受到了如幼苗一般的看护。上好的食物、清新的氧气、适宜的温度，再加上将诱发疾病的寄生虫予以消除，对此，我们可以毫不夸张地说，对这些天之骄子照料的精细程度，就如同对待别墅里那最美丽的玫瑰花一样。

儿童犹如花朵，这是一个古老的比喻。我们希望现实也如此。遗憾的是，现在这种特权仅限于那些幸运的儿童。尽管有人呼吁：孩子毕竟是人，但是，现实的情况却是，我们可以满足一株植物所需要的条件，却不能使儿童满足他们成长所应具备的条件。当我们看到一位处于深度痛苦且极其衰弱的瘫痪病人时，我们会充满同情地这样谈论他："唉，他只是像植物人一般地生活着，但作为人他已死去。"确实如此，他除了一副躯壳，什么都不存在了。

既然婴儿是人，我们就应该把他当作人来对待。在这个躁动不堪的人类社会，当我们密切注视他们的行为时则会发现，他们是多么生气勃勃地满怀对生活的热望啊！

# 第 9 篇

# 儿童的公民权利

儿童的权利是什么？要回答这个问题，我们首先应将他们视为一个社会阶层，一个劳动者阶层，他们事实上也在进行创造性的劳动——造人的劳动。他们在创造未来。他们在为身体和精神的成长进行着全身心的工作。在母亲们为他们进行了几个月的工作之后，后面的工作都留给了他们自己去完成，也就是说，儿童的任务要更艰辛、更复杂、更困难。一个儿童在出生时，他除了内在所具有的潜力之外可以说一无所有。我们成年人也承认，儿童将不得不在一个充满荆棘的世界去做每一件事情！他们在出生时比动物还要脆弱与无助，经过几年的磨难，他们就得长大成人，成为一个经过无数代人艰苦努力而形成的高度复杂的、有组织的社会的一分子。当这些既无力量、又无思想的孩子降生和融入我们这个所谓的文明社会时，他应当具有什么权利呢？让我们看看婴儿来到世上后，我们所谓的社会正义是怎样对待他们的吧。我们虽然已生活在 20 世纪，但事实上在许多所谓的文明国家，孤儿院和奶妈仍然是社会所承认的看管某些孩子的方式。什么是孤儿院？它实际上就是一个关押场所，一处黑暗可怕的监狱，跟中世纪的土牢差不多，在那里犯人们会不留任何痕迹地频繁死亡，他们从未体验过任何人给他以爱，他的姓名甚至会被删去，财产也被没收，或许只有那些年长的犯人还在记忆中珍藏着母亲的印记，知道自己曾有过名字。一个后天的盲人还能通过对美丽的色彩、灿烂的太阳的追忆得到某些安慰，然而一个弃儿则连他都不如，弃儿更像一个天生的盲人，甚至连犯人都不如，每个犯人都比他拥有更多的权利！纵使在那最可憎的暴政年代，被压迫的无辜者也会点燃正义之火，这种不满的累积终将引发革命，激发人民去争取人人平等的权利。但又有谁愿意站出来为我们那些弃儿的命运大声疾呼？

现在的问题是，我们这个社会还没有意识到他们也是实实在在的人。奶妈的存在是一种社会习俗，是一种奢侈习性的结果。在一个时期，一个出身于中产阶级家庭的将要结婚的姑娘，会以未婚夫为她允诺的未来家庭的舒适条件为荣："我们将请一个厨娘、一个佣人和一个奶妈。"由于有这样的需求，在农村一个刚生下儿子的身体强健的姑娘会为自己拥有一副沉甸甸的乳房十分得意："我可以谋到一个好的职位，去当奶妈不成问题。"只是到最近，卫生与营养学家才开始责备那些因懒惰而拒绝给自己孩子喂奶的母亲。

为了提倡给孩子喂奶，甚至将那些自己给孩子喂奶的女王和皇后奉为其他母亲学习的榜样。

卫生与营养学家之所以建议将亲自喂养自己的孩子作为母亲的一项责任，是基于以下一条生理原则：母乳比其他任何方式更能滋养婴儿。尽管专家的这条建议很清楚，但作为母亲应该承担的这项职责却远未得到普遍履行。我们在路上经常可以看到，一位身体本来十分强健的母亲，却由身旁一位奶妈在抱着孩子。这种靠奶妈供奶的方式还有另一个后果。如果一个婴儿有两个母亲的奶在供他享用，那么另一个婴儿必然就什么也得不到了。因为人奶不是一种工业品，它是自然的精心调配，自然会给每个新生命配给定量的人奶。人奶是随着生命的缔造过程而产生的，除此之外别无他途。喂养奶牛的人对此很清楚，他们一般将产奶的奶牛予以卫生地喂养，而将那些小牛送给屠夫。他们发现，每当这些小牛被迫与生下它们的母牛分离时，它们感到是多么痛苦啊！小狗与小猫的情形也是如此，当一只充满爱心的母狗产下许多小仔，而它又因不能全部喂养只得清除一些小狗时，你看这位狗妈妈是多么悲伤！与这些动物相比，奶妈的表现则是另一种情形，她是在自愿地出售自己的奶，由此导致另一个人——她自己的孩子却无人关心。

对于这种情形，我们认为，只有通过明确规定一个人所应享有的权利，通过一种法律才能保护这个婴儿。社会是建立在权利基础上的。一个人即使因为饥饿而偷了一块面包，他还是一个贼，他将逃脱不了法律的惩罚，并被视为非法行为。如果有人确实犯下某些罪行，那就会被判罪。可是，成人每天都在对幼小的婴儿犯这种罪，竟然在社会上没有人视它为一种犯罪，而只是将其作为一种奢侈的表现。对一个孩子来说，有什么比拥有母亲的奶更为神圣的呢？婴儿如果能表达的话，他完全可以用拿破仑的话说：这是"上帝赐予我的。"他的要求毫无疑问是合法的。这是他来到这个世上后所拥有的唯一资本，母亲身上的奶也是因为他的出生才产生的，并随他一起来到这个世上。这是他财富的全部：他的生活、成长与生命都蕴含在母亲乳汁的营养之中。一个出生后就被剥夺吸吮乳汁权利的婴儿，一旦他将来因生活所迫去从事某种艰苦的工作，他一定会感到身体虚弱，甚至还易患佝偻病。现代医学证明，大量在工作中因伤痛和意外事故所导致的永久性伤残，都源于他小时候未能享受到吸吮乳汁的权利。有那么一天,一旦这些婴儿成年之后,他们一定会站在社会道德法庭上对这些母亲提出控诉的!

也许有人会问:如果母亲生病导致她无法给孩子喂奶,那该怎么办呢?面对这种情况,我们只能说,这位生病的女人的孩子是不幸的,但我们却要进一步地问,为什么另一个孩子一定要因为她的不幸而遭受痛苦呢?无论一个人有多么富有,我们都不允许他去剥夺他人的财富,因为他人也急需自己的财富去生存。即使在野蛮年代,如果一个皇帝必须靠浸泡在人血浴盆里才能治愈他可怕的疾病,他也不可能因此而让健康的人们为他流血。这是建构我们文明的基本因素,也是我们所生活的社会有别于海盗与食人者的世界。我们的社会已认可了成年人的权利,但这并不代表我们也认识到了儿童所应具有的权利!我们确实已认识到了的正义的力量,但现在它只是为那些有能力保护自己的人所有。直到今天,人们也许在卫生营养学观念上或多或少有所进步,但在审视文明的基础——一种基于权利平等的文明时,却还存在很大问题。

当我们开始认真审视孩子的道德教育时,我们的眼光应当再宽阔一些,应仔细检视一下我们为他准备的是一个怎样的世界。难道我们愿意他像我们一样,在粗暴地对待弱者时也毫无顾忌吗?难道我们愿意他像我们一样,在与同我们一样的人交往时是半个文明人,但在遇到无知与受压迫的人时,却又成了半个野蛮人吗?

如果要真正改正我们的错误,那就让我们在向孩子提供道德教育之前,仿效那些即将走上圣坛的牧师:在面对全体教徒时,先低着头忏悔自己的罪恶。

被剥夺了公民权的孩子,就像脱了臼的手臂一样。在这只脱臼的手臂回复到原初状态之前,人类是不可能使其自身的道德得到进化的。只有当这只脱臼的手臂复位以后,这个人才能不再忍受因受伤的肌肉组织所致的疼痛与麻痹。与之相比,有关儿童的社会问题要更多、更深奥,它既是我们当前要解决的问题,也是我们将来要面对的问题。

如果我们的良心能够容忍那些严重不公道的道德行为,并且不认为那是犯罪的话,那么在与儿童相处时,我们还有什么顾忌呢?

# PART 10

# 怎样接受进入这个世界的婴儿

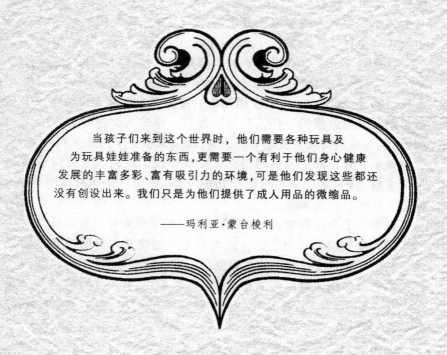

当孩子们来到这个世界时，他们需要各种玩具及为玩具娃娃准备的东西，更需要一个有利于他们身心健康发展的丰富多彩、富有吸引力的环境，可是他们发现这些都还没有创设出来。我们只是为他们提供了成人用品的微缩品。

——玛利亚·蒙台梭利

**环**顾四周,只是到现在,我们才为接受婴儿这个尊贵的客人应做些准备。让我们历数一下,在那琳琅满目、奢侈不堪的商品世界,有哪些东西是为孩子准备的?这里既没有适合他们用的盥洗盆、沙发,也没有适合他们的桌子、刷子。一个家庭里房间倒是有许多间,却没有一间是按照他的爱好而准备的。只有那些富裕家庭的孩子才十分幸运地有属于他们自己的房间,但这房间也多少有点像是流放的地方。

让我们设想一下他在一天中所遭受的痛苦吧。假想有一天我们自己生活在了一个巨人族之中。他们的腿奇长,体型巨大无比,且运动能力也不知比我们强多少倍。与我们相比,他们的头脑不知要敏捷与聪明多少。我们想迈进他们的房间,可房子的每道门槛都要高于我们的膝关节;我们想爬上去,也得有主人的帮助才能成功;我们想坐下,可那椅子竟与我们的肩一般高,要坐上去须先经过一阵艰难的爬攀;我们想把弄脏的衣服刷刷,但所有刷子都是超大型的,我们既无法握住它,也无法拿起它;当我们想清理一下指甲时,却有人递给了我们衣刷一样大的刷子;我们本来想很舒服地洗个澡,但那澡盆却笨重之极,以致我们根本就无法端起它。如果这些巨人还笑嘻嘻地对我们说:他们一直盼望着我们的到来,我们将不得不对他们抱怨道:他们没有做好准备与接待工作,也没有打算让我们愉快地生活在他们中间。

与我们上面的比喻相类似,当孩子们来到这个世界时,他们需要各种玩具及为玩具娃娃准备的东西,更需要一个有利于他们身心健康发展的丰富多彩的、富有吸引力的环境,可是他们发现这些都还没有创设出来。成人只为他们的玩具娃娃准备了房子,包括起居室、厨房和衣柜,也就是说,我们只是为他们提供了成人拥有物品的微缩品。孩子们只能以此自娱而不能生活其间。这就是我们成人世界给孩子开的一个大玩笑，其根源就在于没有人认为他是一个活生生的人。到了这个世界他才发现，自己只是作为一个被愚弄的对象为社会所接受的。

众所周知，儿童常常损坏他们手中的玩具，尤其对那些特意为他们制作的玩具更是不珍惜。在我们看来，儿童的这种破坏行为恰恰可作为他们智力发展的证明。他之所以会破坏玩具，是因为他想知道"这东西是怎么做成的"，也就是说，他实际上是在玩具里面寻找他觉得有趣的东西。因为从外观上玩具没有任何使他感兴趣的东西，所以有时候他会狠劲地将它打碎，就像是面对一个愤怒的敌人，以此探究隐藏在里面的奥秘。借助于周围的环境和各种辅助物生存是儿童的自然倾向。他愿意用他自己的脸盆，自己穿衣，自己扫地，给一个活生生的人梳头；他愿意有与自己相配的椅子、桌子、沙发、衣夹和食橱。他的愿望是：凭借自己的双手以达到某一智力水平，并让自己有一个舒适安逸的生活。他不仅在"行为方式上像成人"，而且还努力将自己"塑造成人"。这既是他的天性，也是他的使命。

我们在"儿童之家"曾见到过这样的儿童，他一直显得十分愉快、做事有耐心、表现沉着且非常细致，跟我们所见到的最好的工人差不多，也像一名最称职的事务管理者。他房间的环境十分便利他的行为，挂衣物的衣钩正好在墙上很矮处，他用手就能够得着的地方。当他轻轻打开一扇门时，门的扶手大小恰好能为他的手所握住；房间所放的椅子，其重量正好适合他的臂力，让他感到不太沉。在从事这些活动时，他的动作是那样的轻松而又优美，让人感到完全是一种享受。基于此，我们提出了一条很简明的建议：为儿童创造一个每样东西的大小都与其能力相匹配的环境，并让他生活其间，这有助于发展儿童的内在能力。他们在这种环境中所表现出来的"积极生活"态度一定会令你惊叹不已。他们不仅会在这里十分愉悦地进行着简单的练习，而且还会在内在精神上充满活力。我们观察到，处于这种和谐的环境时，幼儿犹如一粒种子植根于土壤之中，他将通过唯一的方式生长、发育，那就是长时间的反复练习。

当然，幼儿在活动中尽管表现出专心致志的神态，但由于他的整个肌体组织还没发育成熟，他们的动作会很慢，诚如他们因为腿还很短,行走的速度很慢一样。我们通过直觉就能发现,他们的生命正从内部开始逐渐得到发展与完善,就像蝶蛹在茧袋中一天天成长为蝴蝶一样。如果人们阻碍这一进程,就等于是在用暴力摧残生命。但在现实生活中,我们是怎样对待儿童的呢?我们会毫无顾忌地任意阻止他们的活动,就像主人对待没有人权的奴隶一样,而且我们在这样做时,居然毫无内疚之心。在许多人看来,对儿童表现出尊重是十分可笑的。大人们对下面的情形已经习以为常,当一个幼儿正在做自己的事儿,比如吃饭时,年长者就会自觉或不自觉地去喂他;当他正努力扣外衣的扣子时,又有年长者急不可耐地帮他扣上。总之,他的每一行为都有人去代替他做。这真是对孩子最起码的一点尊重都没有了。与之形成鲜明对照的是,当儿童对我们有所妨碍时,我们却会十分严厉地加以禁止!我们在从事自己的工作时,总是对我们权限之内的事非常敏感,一旦有人企图取代我们,我们会立即感到那是一种冒犯。

想想看,假如我们有朝一日成为了那些无法与我们沟通的强壮无比的巨人的奴隶,我们还能干什么呢?当我们正在不慌不忙地品尝汤的美味时,巨人突然现身,从我们手中抓走汤匙,强迫我们必须以最快的速度将汤喝下去。他的举动差点使我们噎住了。我们也会对此表示抗议:"为了仁慈的缘故,请你慢些吧!"但是,由此产生的心理压力,势必使我们的消化功能受到损害。再假如,由于有一场令人高兴的约会,我们正在房间里带着愉悦的心情慢慢穿着外套,忽然巨人进来,将一件外套扔到我们手上,还要强行给我们穿戴。他的举动让我们感到自己的尊严受到了莫大伤害,当我们穿上外套后去散步时已毫无愉悦之情了。我们的身体所需要的营养不仅包括喝下去的汤,有益于健康的走步训练,而且还包括我们能自由地去做这些事情。我们为此感到不快与难受,这不完全是出于对巨人的憎恶,更是源于我们的天性,源于我们在生活的所有方面对自由这一权利的认识。正是对自由的热爱滋润了我们的生活,也正是它带给我们幸福与健康。自由的作用不仅体现在人生这样的大事上,它在那些细微的行为举止中也能体现出来。正如一位哲人曾说过的:"人不能只靠面包活着。"对于年幼的儿童来讲,则应让他们享有更多文化与精神上的自由,因为他们比其他年龄段的人正在进行更重要的创造性活动。

当成人干预和侵入他们的生活小领地时，他们得通过斗争与反抗来捍卫。当孩子们想锻炼自己的感觉，比如触觉时，身边的人总是不假思索地指责他们："不要摸！"当他们尝试着从厨房拿点原料，比如碎菜片，来做盘小菜时，他们甚至会被大人斥喝开，并被无情地送回他们的房间去玩手头的玩具。当儿童的注意力集中之时，正是他们在发展与组织其内在精神活动的过程。当儿童自发努力之时，正是他们在对周围那些维持他们智力的物质进行全力搜寻的过程，这是多么神奇的时刻啊！然而，就是在如此非凡的时刻，他们的行为却经常被大人粗暴地中断！与此类似，我们成年人也时常感到，在我们的人生旅程中，有些珍贵的东西会失去，我们会有一种被欺骗和被蔑视之感，其原因也许就在于，在创造自我的这一关键阶段，我们的行为被打断，我们的身心被摧残了，由此导致我们的心理不健康、十分脆弱，甚至存在某种缺陷。

对于这些行为的后果，我们可以再以某些成年人的情形为例。在我们这个世界上，有些成年人虽然不及其他人成熟和稳重，但他们却是某方面的天才。例如，一个灵性十足的作家，他可以靠他那鼓舞人心的作品激励与帮助他人；一个数学家由于他发现了某种解决重大问题的方法，从而有益于人类。但前提是他的灵感不能被中断。比如一个艺术家，当他的头脑中正好勾勒出一种绝妙的形象时，他就会迫不及待地将它呈现在画布上，以免一幅稀世杰作转瞬即逝。想象一下，就是在这一关键时刻，他被一个粗暴的人打扰，他朝这位艺术家高声叫嚷，要求他立即跟着他出去，去干什么呢？去下棋！对此，我们这位天才只能表示愤慨："你的行为简直残暴之极！由于你的愚蠢，我的灵感失去了，人类将丧失一首诗、一幅艺术杰作、一项有益的发现。"

与之相比，儿童虽然没有失去某种艺术杰作，但他却失去了自我。因为他的杰作就是塑造一个新人，就是在他的内心深处造就一个创造型的天才。幼儿的"任性"、"顽皮"、"幼稚"也许就是因为他们的灵魂被误解所发出的不幸哭喊。

对于小孩来讲，他受损的不仅是灵魂，还有他的身体也一同受苦。因为人的特点是，一旦他的精神受损，其整个物质存在也会受到影响。

在一家收养弃儿的慈善机构里,有一位长得很丑的小孩,幸运的是,那位看护他的妇女非常喜欢他。一天,这位看护人告诉他的母亲,那孩子长得越来越漂亮了。听到这一消息后,夫人便去看望那个小孩,但她发现他仍旧非常难看。她也从中领悟到,也许是因为每日的相处使一个人已习惯了另一个人的缺点。过了一阵子,这位看护人又向那位夫人提供了一份跟从前一样的报告,这位夫人便再一次和善地访问了这个机构,这一次她对那个看护孩子的年轻妇女谈论她孩子时的热情留下了很深的印象,并使她想到,爱使得说话人盲目时,她竟会深受感动。几个月过去了,最后那保姆带着胜利的喜悦心情宣布,那孩子从此将什么缺点都不可能有了,因为他毫无疑问地变得"美丽"了。夫人虽由此感到震惊,但也不得不承认这是真的。孩子的身体在伟大的爱的影响下改变了。

我们常用这种思想来欺骗我们自己:我们正给予儿童各种东西,我们给他们新鲜的空气和食物。其实我们什么也没有给他们,这是因为:丰衣足食与新鲜的空气对一个人的身体来说是不够的;所有的生理机能都受到更高层次的因素的制约,所有生命的唯一关键就在于此。儿童的身体也要靠灵魂的快乐而生存。

生理学教会我们这样一些东西,在室外吃一餐便宜的饭,比关在空气污浊的室内进行一餐豪华的宴会更富有营养。因为身体的所有功能,在露天更活跃些,吸收也进行得更加完全。同样地,与所爱的人和富有同情心的人一块进餐要比与粗俗、折磨人的部长一块参加一个喜怒无常的贵族主人的盛宴更富有营养。在这种情况下,自由的渴望说明了一切。在有些地方,虽然我们吃的是精美的佳肴,住的是金碧辉煌的大厦,但我们的生命却受到压抑,因此这种地方对我们的健康不利。

# PART 11

# 爱的导师

　　孩子的到来给了我们一个全新的开始孩子唤醒我们的感觉，用我们不懂的方法让我们保持清醒。孩子是可以帮助大人上进的人。如果大人不愿意去尝试，就会遭致失败，以致变得慢慢顽固起来，最后处于麻木不仁状态。

——玛利亚·蒙台梭利

孩子对大人的一举一动都十分注意、敏感,他们也很想服从大人的每一个指示。大人绝对无法想象,孩子已经准备好永远服从我们,而且他们的这一意志是多么坚定,这正是孩子的特性之一。举例来说,有一个小孩把拖鞋搁在床上,他的妈妈生气地跟他说:"不能这样,拖鞋很脏!"然后一边生气,一边用手在床单上把灰尘拍掉。经过这件事以后,任何时候这个孩子只要看到拖鞋,就会对着拖鞋说:"好脏!"然后跑到床上拍灰尘。

我们应如何行事呢?孩子是如此敏感,又如此容易受到我们的影响,因此大人应该注意自己的一言一行,因为我们做的每一件事、说的每一句话,都会嵌进孩子的脑海里。孩子是完全服从的,因为服从就是他此一阶段的生活。对向他说出金玉良言以指引他生活的大人,孩子是又爱又崇拜。所以我们应该意识到,孩子行为上的一点点偏差,都很有可能是孩子情绪的反应,值得我们加以重视。

不要忘了,孩子随时会对我们付出爱,并听从我们的话。孩子是爱大人的,因此,我们必须了解他们,然而,我们总是说,爸爸妈妈和老师是多么的爱孩子,甚至有人主张,必须教导孩子如何去爱他们的妈妈、爸爸和老师,甚或去爱每一件事和每一个人。然而,谁会担当起教孩子"爱"的导师呢?是那些老是把孩子的活泼好动当成不乖的人吗?还是那些只会惩罚孩子的人?没有人能够不经过努力,也没有人能够以井底之蛙来看待比他自己更广阔的世界,就可以成为孩子爱的导师的。

是的,孩子深深地爱着他身边的大人。你是否注意到,当孩子睡觉的时候,一定要他爱的人陪伴在身边。可是孩子所爱的那个人却自以为是地认为:"这种无理取闹的行为一定要予以制止。如果孩子睡觉的时候我们还陪在他身边,一定会把孩子宠坏的。"在吃饭的时候,情形也是如此。有的大人说,如果孩子要和我们一起坐在餐桌前吃饭,当我们不让他过来他就开始哭的话,我们最好假装我们还没到吃饭的时候。虽然孩子还太小,不能吃大人们吃的食物,但是在大人吃饭时,孩子只是想要在场而已。一旦孩子被带到餐桌前,他就不会哭了。当然,假如孩子坐在餐桌前还哭的话,那是因为没有人理他,孩子很想成为团体中的一分子。

还有谁像孩子一样,连我们吃饭的时候都那么想和我们在一起?等到将来有一天会叹息:"现在可没有人在睡觉前还哭着要大人陪他,每个人在睡觉前只想着自己,只记得今天发生了什么事,就是没有人想到我。"这将是多么悲哀啊!只有孩子每天晚上都记得说:"不要走,陪我嘛!"我们可不要失去了人生这一不复再来的机会。

有时候,孩子一旦起来,就会把还很想睡觉的爸爸妈妈叫醒,类似这样的事情让家长抱怨不已。实际上,每个人都应该和这个溜下床的纯真孩子做一样的事才对。太阳出来的时候,大家就应该起床了,但是做爸爸妈妈的却还在睡。孩子早上来到爸爸妈妈床边,好像是在说:"爸爸妈妈起床喽,我们一定要学习过健康的生活,早晨已经在向我们招手了呢!"孩子并不是想当老师,他看着父母,是因为爱他们。早上一起来,孩子就不由自主地想跑到他爱的人身边。孩子也许走得跌跌撞撞,经过还没有什么光线的房间,但是孩子一点也不怕黑黑的影子。他拉开半关的房门,走到爸爸妈妈身边,轻轻摸他们的脸。爸爸妈妈往往会说:"不要在早上把我吵醒。"而孩子会这么回答:"我没有吵你呀,我只是亲你一下而已!"可是爸爸妈妈还是会找别的方法来教训孩子。想一想,在我们的生命中,有谁一睁开眼睛就想和我们在一起的?有谁那么不怕麻烦,只因为想看看我们、亲亲我们,而特别小心翼翼地不把我们吵醒?这样的事在生命中又能够发生几次呢?

而我们做大人的竟然觉得,孩子如果有此类坏习惯,一定得想法给他改过来。孩子爱的表现,对我们竟然起不了什么作用。

孩子一清早醒来,爱的不仅是亮丽的早晨,他们爱的还有老是睡过头、总是浑浑噩噩的爸爸妈妈。孩子的到来给了我们一个全新的开始。孩子唤醒我们的感觉,用我们不懂的方法让我们保持清醒。孩子用和我们非常不一样的方式,每天早上出现在我们面前,他好像是在说:"你看,你可以过另外一种健康的生活,你可以过得比现在更好。"

我们本来可以过得更好,只是人很容易有惰性。孩子是可以帮助大人上进的人。如果大人不愿意去尝试,就会遭致失败,以致变得慢慢顽固起来,最后处于麻木不仁状态。

# PART 12

# 让孩子成为自己的主人

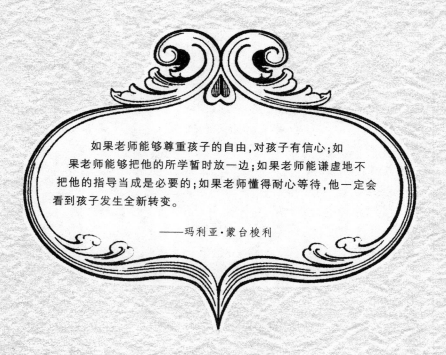

如果老师能够尊重孩子的自由,对孩子有信心;如果老师能够把他的所学暂时放一边;如果老师能谦虚地不把他的指导当成是必要的;如果老师懂得耐心等待,他一定会看到孩子发生全新转变。

——玛利亚·蒙台梭利

这里所谓的"人格特质"不光是指道德方面的行为,而是广义地强调孩子的多重性格。不只包括智能上和外形上的特性,还包含孩子将这两者结合后的表现。这种综合的表现是无法从心理学的观点加以分析的。更为重要的是,我想要在本章探讨一些不曾被仔细研究或是根本不受重视的儿童活动。

我们可以将孩子的活动过程用一个曲线图来表示。在纸上画一条平行线,表示孩子正处于休息状态,平行线以上表示有纪律的活动,平行线以下代表随意乱玩、没有规律的活动,而曲线和平行线之间的距离代表活动的规律程度, 曲线的方向则表示时间的长短。用这种方式,我们可以将孩子每一个活动的时间长度和规律程度,用图形呈现出来。而孩子的活动过程,将会在图上形成一道曲线。

我还把这种方法用于测量一个孩子在儿童之家所做的活动。当孩子进入教室后,通常先安静一会,接着才开始找事情做。因此,曲线是先往上,画到代表有规律的活动部分。然后孩子玩累了,活动开始变得有点混乱。这时候曲线会画到平行线以下,一直下降到其活动没有规律的部分。接下来,孩子会换一项新的活动。举例来说,如果孩子在接下来的一开始先玩带插座的圆柱体,接着拿起蜡笔,认真画了一段时间,过了一会儿他又去逗弄坐在旁边的孩子,这时候的曲线,就必须再一次画到平行线的下方。接下来,孩子和玩伴斗嘴,这时候的曲线将继续停在活动没有规律的部分。再后来孩子觉得累了,他随手拿起几个铃铛放在秤上,觉得挺有趣的,渐渐专心地玩了起来, 孩子的活动曲线则再一次往上攀升到有活动规律的地方。等到孩子玩得不想玩了,可又不知道接下来要做什么的时候,孩子会烦躁地走到老师身边。

孩子的活动曲线当然无法显示出孩子是怎么样玩每一种东西

的，这一问题我在其他地方将会展开讨论。大多数无法专心的孩子，都与上述活动曲线的描述相吻合。这些孩子往往无法把注意力集中在一件事情上，他们通常漫无目的地从一项活动换到另一项活动，原本准备在半年时间里用到的教具，他们在几个小时内就玩遍了。孩子这种显得毫无章法的行为，是很平常的事。

过了一段时间，也许几天、几个礼拜或几个月，我们又重新替这个孩子做了一张新的活动曲线图，我们发现他已有了专注的能力。

从活动曲线图上，我们也可以明显地看出孩子的活动状况。他虽然没有非常严重的脱序现象，但是离完全有规律的目标还有一段距离。也就是说，孩子的活动曲线大致维持在有规律和没有规律的活动范围之间。这种类型的孩子在进入学校后，趋向于找比较容易的事情做，之后，他也许会从教具里找出一些他早已熟悉的东西，重复练习那些他已经学会的东西。过了一阵子之后，孩子看上去有点疲倦，显得不知道该做什么好似的，他的活动曲线下滑到代表休息状态的线。以上活动模式，不但从一个孩子身上表现出来，甚至全班的孩子都是如此。

针对这种情况，一个缺少实际经验的老师该怎么处理才对呢？这位缺乏教学经验的老师也许会这么想：孩子们已经作了一阵子日常生活练习，又花了很多时间在教具练习上，所以他们一定是累了。既然孩子是因为自己玩累了才没有办法专心的，所以错不在老师身上。

一个容易心软而且对时下盛行的心理学理论稍有了解的老师，会理所当然地认为，孩子做了那么多的事，他一定是累了，为此这个老师会打断孩子的活动。为了让孩子透透气，老师一般会带孩子到操场上玩。等孩子们在操场上没命似的冲来跑去一阵子后，老师才把孩子再带回教室，此时孩子会比没到操场玩之前更好动，更没有办法专心。孩子会继续从一项活动转换到另一项活动，这种"假累"现象会一直持续下去。

在上述情形下，很多老师经常做出错误的结论，认为孩子会对自己选择的工作感到满意，这是不对的。因为孩子的选择很明显是随兴所至，玩了一会儿之后，孩子就会开始烦躁起来。老师对此往往感到无可奈何,他们实在已用尽了各种办法——让孩子休息、换一个地方玩——可是没有一项管用,孩子不但无法继续做原来的事,也没能平静下来。

虽然这些老师在非常用功地钻研着教学方法,但是他们缺乏对孩子必备的信心,因此这些老师没有办法尊重孩子的自主权。这些老师当然是尽了全力,他们对每一项教学建议和教学计划都非常留意。只是这些老师总是习惯于干预和指导,结果反而干扰了孩子的自然发展,妨碍了孩子原本能从中得到的启迪。

如果老师能够尊重孩子的自由,对孩子有信心;如果老师能够把他的所学暂时放置一边;如果老师能谦虚一些,不把他的指导当成是必要的;如果老师懂得耐心等待,他一定会看到孩子所发生的全新转变。老师只有在等到孩子找到自己心智深处尚未被发现的潜能时,孩子焦躁不安的心情才得以平息。

但是,如果孩子重新选了一项比之前的活动更为容易的活动,他们不安的心情就不可能平静。这项新的活动必须能够吸引孩子的全部注意力,孩子必须专心地把自己整个投入到该活动中,与此同时,孩子还必须完全不受身边事物的影响。

当孩子完成他的重要活动之后,他的脸上将表现出和假累完全不同的表情。孩子之前的表现是看起来很累,现在他的眼睛则闪闪发亮,看起来很平静。孩子似乎有了新的动力,而且充满了朝气。我们称之为工作的循环,包含两个部分:第一部分是单纯的准备工作,它引导孩子接触工作,而且带领孩子进入第二部分——真正的重大工作。

孩子在完成了工作之后,会显得很平静。事实上,孩子只有在这个时候才显出真正的平静。孩子安静祥和的样子,让我们明显地感到他已经找到了新的真理。孩子这时候一点也不疲累,反而充满了活力,孩子的反应就好像我们刚享用了一道美食,或刚洗了一个舒服的澡的感觉一样。我们都有这样的体验,吃饭和洗澡绝对是两样花力气的工作,但是它们不但不会让人觉得累,反而会帮助我们重新充满活力。正因为孩子能够从工作中获得平静休息,所以我们必须尽可能地让孩子有接触重大工作的机会。

在此,让我们思考一下"休息"的真正含义。对我们来说,休息并不表示完全怠惰不动。当我们静止不动的时候，我们全身的肌肉比较容易僵硬，只有当我们放松时，我们的身体才得以歇息。如此一来，我们才能从智力的劳动中，获得精神力量的平静。

生命是神奇的。如果一位老师说："我给孩子这样或那样的事情做，他才会有精力。"他的这一做法应该得到大家的尊敬，因为这的确是了解孩子的唯一方法。只有聆听孩子生命的声音，我们才能帮孩子选择他真正需要的工作。因此，这位老师尊重孩子神奇的生命过程，也明了他必须有信心等待，这便足够了。在没有压力的学习环境下，孩子显得快乐又友善，孩子甚至可能信心十足地想和老师聊聊天。孩子的心灵之窗好像打了开来，孩子想找老师说话，因为孩子现在看出了老师的聪明优秀。从前视若无睹的周围一切，现在好像都在向孩子招手。毫无疑问的，孩子现在的感觉变得很敏锐，生活也丰富了起来，对团体活动更加感兴趣。面对这么多生活上的新发现，孩子必须储存足够的精力。一个精神不振、感情贫乏的孩子，对老师的教学是不会有什么反应的。这样的孩子既没有自信也不守规矩。就算真的能教这孩子些什么，也会让你感到筋疲力尽。

以上所说的这些教学理念，我们不得不承认一个事实，那就是我们以往对待孩子的方式实在是够糟糕的了。要求孩子信服或服从某个人，都不是孩子内在发展所需要的外在表现。但是我们却一再要求孩子遵从这些外在的行为，不给孩子发展他内在潜能的机会，让孩子成为自己的主人。我们真正应该做的是，引领孩子找到那条通往他内心世界的道路，而不是一再使孩子发展受挫。

孩子越专心，就越能从工作中得到平静，也越能发自内心地遵守纪律。在教学方式上达到这种境界的老师，都会延伸出一套特别的沟通方式。例如，一位老师可能问另一个老师："你们班上孩子们表现怎么样？孩子都组织有序了吗？"老师可能回答："嘿！你记不记得从前那个很没有秩序的小男孩？他现在变得可自律了。"用这种方式沟通的老师，对孩子接下来的发展通常早已心里有数，他对孩子的教育也就能自然而然地展开。

一件简单的事就能让孩子变得有纪律，一个能够自律的孩子就这样步上了自然心理发展之路。自律的孩子会变得习惯于工作，若无事可做便不知如何是好,甚至在等人的时候他们都闲不下来。这些孩子整个人都充满了活力。

当孩子越能够自律地工作,他"假累"的时间就会越短,工作结束后平静所得到的时间就会增长,因此可以让孩子有比较多的时间沉浸于他刚刚完成的工作。这个平静时刻有它特别的意义,虽然工作好像告了一段落了,但是另一项观察外在世界的工作,才刚刚在孩子脑子里展开。孩子打从心里面平静了下来,注意观察他周围正在进行的事,在脑子里思考着一些细节,并从中有了一些新的发现。

要达到专心的地步,需要经历三个不同的步骤:准备期,有具体目标的工作和能让孩子的内在发展得到满足、使疑惑得到了解,这样三个阶段。当孩子的内在疑惑有了答案时,他的外在表现会有所改变,因为孩子能顿悟到他从来没有发现到的事情。孩子会变得非常听话,而且他所表现出的耐心几乎让人无法相信,更令人惊讶的是,在这之前并没有人真的教孩子要听话或要有耐心。

一个平衡感不好的孩子,可能因为怕跌倒而不太敢走,也不太敢任意挥动他的手臂,这样的孩子走起路来往往"一步一个脚印"。但是一旦他学会了如何保持平衡,这个孩子就不但会跑、会跳,还能左转右弯呢!孩子的心理发展也是同样的道理。一个精神不平衡的孩子是没有办法专心思考的,他也就不能控制自己的行为。这样的孩子怎么可能不经历"跌倒"的危险而去顺应别人的指示呢?如果孩子不能够依照自己的意愿行事,他又怎么能够听从其他人的指示呢?服从是一种精神上的敏感性,服从是内在心灵平静的结果,服从是力量的表现。用来解释服从力量的最好代名词是适应。生物学家认为,一个人需要极大的力量来适应环境。他们所指的适应环境的力量是什么呢?那是一种让人顺应自然法则,学习如何融入周围环境的重要力量。实际上,在这股适应力量产生作用之前,它早已存在,因为这股力量并不是你需要用时就可以有的,它需要我们事先准备好。我想园艺家最了解拔苗助长的结果。

孩子必须得到健全的发展,还必须达到精神上的平衡协调,这样他才有能力服从别人。在自然界中,只有强者才能适应环境;同样的道理,只有精神上的坚强者,才懂得顺应服从。

我们必须尽可能地依据孩子的天性来让他有发展的可能,这样孩子才能够茁壮成长。而一个健康成长的孩子,日后的成就远比我们所期待的还要大。孩子的精神(专注力)能平和、自由地发展到什么程度,也就代表他发展到了何种程度。接下来的一切行为也就成为理所当然的了——孩子会控制他的身体,行动自如,也学会了小心谨慎。我们可以从孩子完全能够安静下来这一点看出,他已经能够做到专心了。孩子的专心程度往往比成人还强,然而我们绝对不要忘了孩子如何才能达到这一程度,也不要忘了环境在孩子发展上所扮演的角色。

我必须再度提醒读者,我并没有从一开始就制定出一套原则,然后依照这套理论来拟定我的教学方法。事实正好相反,我是透过观察自主权受到尊重的孩子才了解,一些内在的法则其实有其普遍的价值。这些孩子正是以他们的本能直觉,找到了通往力量之路。

# PART 13
# 新时代老师

一位真正理解了教学之道的老师，才更懂得用比
强迫压制更有效的办法来引导孩子走入正轨。毫无疑问，
这有赖于随时地观察以及持续地付出努力。

——玛利亚·蒙台梭利

蒙台梭利教育体系的基本方针,在于利用各种不同的感官教具,唤醒孩子的安全感。而且,这些教具并没有绝对的价值。它们的效用多寡,全看老师用什么方式将这些东西呈现给孩子。因此,老师必须懂得选用最有成效的方法,让孩子对这些教具产生兴趣,想要去使用它。现在我们探讨一下在课程或教学当中,如何将教具呈现在孩子面前以及如何引导孩子使用这些教具的特殊技巧。

研习过蒙台梭利教学法的人,大多对每一种教学方法都很有兴趣。他们发现,如果将蒙台梭利的教学课程和一般传统的教学课程做一个比较,会形成非常有趣的对照。

在蒙台梭利教学法中,活动的主要部分由孩子主导。一旦孩子达到一定的年纪,能够做出具有行为意义的举动时,就可以主动地反复练习一些身体的动作,这些练习涉及推理过程,孩子便以此继续他的自我教育。孩子在这样的原则下所完成的学习工作,是完全独立自发的学习,老师完全不介入。老师的工作仅限于提供教材用具,至多示范教具的使用方法,之后,就让孩子自己展开他的学习之路。因为蒙台梭利的教学宗旨志在引领、开发孩子的精神力量,而非一味地把知识灌输给孩子。

很多老师问我,光是用温和及鼓励的方式把教具呈现给孩子,就已经足够了吗?我的回答是:当然不够。在孩子的自我学习过程中,教具的操作方法是最重要的一环。老师需要一而再、再而三地示范教具的操作,因为孩子对他身边的一些东西常常不太在意,即便注意到了,大概也猜不到这些东西的用法。所以,老师得随时准备做示范。以西式餐具为例子,西方人都很清楚餐桌上刀叉的用法,但是如果换成一个不懂得用刀拿叉的东方人,他在餐桌上可能会觉得挺有趣的,也许还会把刀叉拿起来舞弄一番,只因为他从来未曾见过任何人使用刀叉吃饭。

所以说，老师在教学中，需要持续做示范，例如，将方形积木依体积大小堆高；用积木叠成高塔，然后再把它拆除；把圆柱体从嵌孔中取出混在一起，再让孩子根据形状大小放回原来的嵌孔里，或者把嵌孔和圆柱体分别放置在两个地方，依视觉判断嵌孔的大小，再凭记忆——将圆柱体放入嵌孔中。

这样的教学看起来可能很奇怪，因为一般人的观念认为上课就是老师讲、学生听，可是这种不用言语的教学引导才是真正的"学习课程"。它让孩子亲眼看到该怎么坐、怎么站；怎么拿盘子才不会打翻放在上面的水杯以及怎么样做出轻巧稳重的动作。

这些不都算是教学吗？当然算，即便静默本身也是一项教学。借着这样的练习，我们可以教导孩子安静坐好，并让孩子习惯在有人轻声叫唤他之前，保持安坐的姿势。我们引导孩子将他的注意力集中在他自己的身体上，并且鼓励孩子学习控制身体的动作。老师不以言语鼓励静默，而是以沉静的神态肯定孩子的表现。"静默游戏"可以说是蒙台梭利教学法的代表。我们将此方法运用在每一项教学上，即使是那些人们认为不说就没办法懂的事也不例外。

在蒙台梭利学校里，教导孩子的是环境本身。老师只是让孩子和环境直接互动，示范引导孩子该怎么使用其中的各类教具。这样的学习方法，如果运用在其他教学法里，是绝对不可能成功的。我们只会听见老师不断地大喊："安静！""不要动来动去。"这些就是所谓的教学用语吗？！我们不相信这种命令式教学能收到多大成效。

我们相信教育应该是寻求适当的方法，在孩子不知不觉当中，引导他们自然的学习活动。蒙台梭利教学法的成功，就在于它可以让孩子自动自发地操作学习，从认真勤快地学习新技能的态度里得到肯定。服从命令必须以完备的人格为前提。

换句话说，孩子必须要具备我们所期望的反应能力，因为必须靠他自身的练习才能做到，而不是凭我们的命令就可奏效。我们常常听见教钢琴的老师对学生说："手指的姿势摆好一点！"却没教学生手指该怎么摆才算好。于是学生的手指姿势还是摆不好，钢琴老师再一次重复刚才的话，学生的姿势照样做不好。

当我们命令孩子做一件事之前，必须想到一个重要的前提：那就是孩子的心智发展需要达到一定的成熟度，才有可能遵照大人的指示，完成要他做的事。孩子会自己依令行事，并且会小心翼翼地进行。从教学角度来说，所有的口语指导应该出现在教学的后半段，因为孩子在内在秩序达到一定程度之前，要引导他是不可能的。当然，语言也不能不教，但必须考虑孩子的词汇及他使用词汇的方法。

缺乏教学经验的老师，通常会把教育的职责重点放在"教"上面。他们觉得只要自己采取有意义的方法，去示范教具的使用方法，他们就已经完成了老师该做的工作。实际上，这样的想法与事实大相径庭，因为一个老师的职责，远比这更重要。由于老师有责任引导孩子的精神发展，因此在观察孩子时，他们不能仅限于了解他们。老师的观察最终应当辅助孩子的能力呈现出来，而这也是观察的唯一目的之所在。

身为一位新时代的老师，并不是一件容易的事。在此，我只能努力提供每一项能够对老师有所助益的教学原则。首先，一位新时代的老师必须懂得分辨孩子的注意力之所在。当孩子集中注意力于工作上时，老师一定要尊重孩子，千万不要在一旁纠正或是突然给予赞美，这样反而打扰了孩子。

少数老师对于上述原则似乎只是一知半解，他们的做法是把教具发下去给孩子，然后老师就默默地退到一旁，不管发生什么事。这种教学方法只会造成一种结果：整个教室闹翻天。我们所谓的不干预孩子的学习、尊重孩子的活动，必须在孩子本质上的发展臻于成熟之后，才得以施行。

也就是说，孩子必须已经具有了充分的自我专注能力。当他对某件事显现出兴趣时（单有好奇心是不够的），他便能够自己沉浸其中了。如果孩子胡乱发泄他的精力，老师仍不闻不问，这样的尊重可就差之千里了。有一次，我目睹了一整班孩子用完全错误的方法操作教具，教室里也毫无秩序可言，而老师一句话也没说，只是在教室里走来走去，沉默的像一具埃及狮身人面像一般。我跟这位老师说，干脆让孩子到外面玩，也许还比在教室里好一些。

当我经过一个孩子身边，他正小声地在另一个孩子耳朵旁说悄悄话。我问他："你在干吗？""我小声地讲，才不会打扰到他啊！"

这位老师犯了一个非常严重的错误:他不敢干扰孩子的失控,却又不试着去建立秩序,好让孩子的个别工作可以顺利进行。

一位老师有一回向我陈述他的观察,他说:"你要求我们用尊重一位科学家或艺术家的心态,去尊重孩子专注的学习操作,但你为什么又说如果孩子把教具当成玩具玩,而不是用来操作时,我们就应该介入其中?"

"我是这么说过,"我回答他:"我对孩子的智能活动尊重程度,就像尊重艺术家的灵感巧思一般,甚至有过之而无不及。如果我到了一位艺术家的工作室,却发现他在抽烟、玩牌,我当然不怕打扰他,还会对他说:'喂!我的朋友,你在忙些什么啊?'因为他正在做的事无须太费神,'放下你的画笔,让我们一起散散步,享受一下阳光吧!'"

蒙台梭利教学法里所指的尊重,绝对不是连孩子的缺失或肤浅的表面现象也一并包容。尊重在本质上必须有以下几项基本原则:能够察觉出孩子不同的体能状况;鼓励孩子发展对其身心健康有益的行为,打消其他不好的念头,因为它们既无建设性,对孩子的发展也没有什么贡献,只会让孩子的精力用错地方,伤害孩子的发展。

不单是老师必须牢记这些原则,做母亲的也需要谨记在心。

老师固然可以不厌其烦地提醒孩子,也可以严声厉气地指正孩子错误的行为。但是,一位真正理解了教学之道的老师,才更懂得用比强迫压制更有效的办法来引导孩子走入正轨。毫无疑问,这有赖于随时的观察以及持续的付出努力,老师必须随时留心孩子的状况,谨慎地安排学习环境。这比起命令和告诫,以上的方法简单多了!但是方法虽然简单,却不是一件容易的工作,还得要有无尽的爱心和洞察能力才行。

老师维持孩子的学习环境,必须像家庭主妇把家里弄得美观温馨一般。但是光这样还不够,还需要了解孩子的一举一动,更须负起教育孩子的职责。多用点心力、多观察孩子,做老师的才会对其工作有一个清晰的概念。一个孩子能否步入轨道、有否取得进展和成就,常常有赖于老师观察入微的能力。唯有真的去做,才能收到令人满意的成效。

让我举个例子，一个看起来不怎么起眼的错误，可能造成意想不到的后果。假想在一个装潢好的屋子里，房主把洗脸盆拿来当装煤炭的盆子用，他们当然就没有办法用洗脸盆来梳洗，他们的房子和家具也会因此而脏乱不堪。只因为这些人不懂得有效利用卫生设施这样一个小小的错误，结果便只得生活在脏乱难受的环境里。他们期望很高，却一无所得，生活失去秩序，还造成了混乱。

老师是否具备应有的能力，取决于他是否能谨慎运用蒙台梭利教学法的基本原则。如果一位老师能够认同蒙台梭利的教学观点，他将会从中发现一些克服教学困难的必知要领，也会达到极佳的教学效果。

虽然说懂得克服小过失、小困难，并不一定能让人达到完美的境界，然而那种知道自己有能力克服缺失，而且能够度过困境的精神感受，还是具有振奋人心的效果，进而能促成一股鼓舞人心的力量。正是这种力量，让生活中的许多小困难显得是那样微不足道，这也是任何寻求完美的不二法门，就算是寻求道德上的完美也不例外。

我们一定要帮助孩子摆脱各种缺点，但又不要让他觉察到自己的不足。

# PART 14

# 成人和儿童

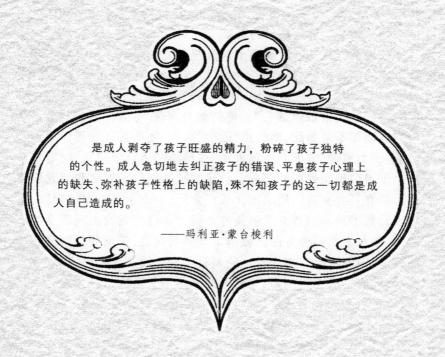

是成人剥夺了孩子旺盛的精力，粉碎了孩子独特的个性。成人急切地去纠正孩子的错误、平息孩子心理上的缺失、弥补孩子性格上的缺陷，殊不知孩子的这一切都是成人自己造成的。

——玛利亚·蒙台梭利

现今，教育不只被视为一门技艺，而是社会科学这个大领域中最重要的一门研究。人类的进步发展，除了靠那些改善外在环境的科学外，最立竿见影的，还是借助直接针对发展中的人——儿童需要的科学。不只是科学家和教育学者对和教育有关的研究发现兴趣浓厚，为人父母者以及社会大众也表现出同样的关切。现代教育理念有两项众所周知的主要原则，第一是了解、培养孩子个人的特质，了解每个孩子的本性，并透过他特有的人格特质来引导他，第二项原则关乎解放孩子的必要。

虽然教育科学已经解开了无数教育上的难题，但是要实现现代教育的宗旨，还是遇到了不少难以克服的障碍。在教育研究里，"问题"这两个字，常常被用来当作研究的主题，例如人们常提到"学校问题"，"解放问题"，"兴趣和能力问题"等等。但在其他科学研究方面却不是如此，而是用"原理"两个字，例如，"光辐射原理"，"地心引力原理"等等。一般来说，在科学的研究领域中，问题多半产生于不明确和外围的部分，科学的核心则包括发现和问题的解决。但在具有实验性质的现代教育方面，不去正视重要的问题，就等于背离了科学的真义。纵使有人说："我已把教育的问题全都解决了，我在人类精神方面已做出了许多新发现，于是我将教育置于明确、单纯的境地。"对于这一论调科学家是无一人会相信的。在人类社会，有一股无形压力，逼使人们不得不去适应一些令人无法想像的事，也必须要去适应那些为了社会安定的礼教束缚。为此，个人必须或多或少牺牲一些自我。我们的儿童也是如此，在学习的义务下他们似乎不得不有所牺牲，不管我们多么希望孩子能够快乐地享受学习的乐趣，他必须努力学习，但又不能把自己弄得疲累不堪。我们一方面希望孩子能够自由自在，一方面却又要求孩子服从。这些理想和现实之间的矛盾冲突，引发了许多教育上的问题，所谓教育科学的改革尝试，到头来变成了大人遥想孩子未来命运的声声叹息。所有现代学校的教育改革，其本意都是为了缓和教学沉疴所造成的伤害，例如，重新修改课程和教育制度，体能运动和休息时间的必要存在等。然而这些改变的补救方案，并未真正达到使孩子自由发展的效果。

无论如何，针对教育问题的解决方案，绝对不能有一丝一毫的让步妥协。我们一定要发起真正的改革；我们一定要开拓出一条教育的崭新大道，因为目前的教育之路，仍是一条死胡同。

当其他科学领域早已研究出许多有利于人类生命且令人激动的发明时，教育科学却仍未找到妥帖的方法。在教育研究领域，每一个探讨项目都只限于外在的现象研究。借用医学的术语来说，都是只治标不治本。

各类不一样的症状，在医学上可能都是由一个主要的病因所引起的，想要解除这些病痛，如果只是一项一项的个别分开治疗，而非找出病源所在，到最后可能只是徒劳无功。举例来说，心脏方面的异常可能引发所有身体器官功能的各种毛病，如果我们只是去治疗其中一项器官的毛病，却不去设法使心脏功能恢复正常，那么所有的症状还是会再出现。再举一个和精神官能有关的例子，倘若一位心理分析师发现，患者的发病是因为情绪感情和思想观念错综复杂的相互影响，使得精神无法负荷所产生的病症，那么这位心理分析师就必须寻根探源，追溯深埋在潜意识中的病因。一旦发现病发的主要原因后，所有的问题皆得以迎刃而解，所有的病症也会逐渐消失或者转而为无害。

我所提到的教育问题，就好似例子里所譬喻的外在病症，是经由一个隐藏难见的主因所引发，这个主要原因不和人类的社会潜意识有关。蒙台梭利的教学方法，一直保持在当今教育体制的"病态程序"之外，也一直朝着一条期许能够揭发教育沉疴主因的道路前行。在蒙台梭利的教学法之下，起因已被克服，问题也已消失。

如今我们察觉出所谓的教育问题，特别是那些和人的个性、性格发展和智能发展相关的问题，事实上全都源于孩子和成人之间的冲突对立。成人在孩子发展道路上所设下的难关，不但难以数计，而且极具伤害力。这个对于孩子成长发展的危险影响程度，取决于成人在铺设这些难关时,总是挟着道德理义和科学理论之名,及其想要操纵孩子的意志来遂行其意。所以说,最接近孩子的大人——母亲或是老师,反而在孩子的人格形成过程当中,成了最可能危害孩子人格发展的人。强者和弱者之间的对立冲突,不仅与教育有关,更反映在成人日后的心理状态上,也是造成心神错乱、性情异常以及情绪不稳定的主要因素。问题从大人传给孩子,又从孩子传给成人,因此成了一种普遍的循环。

因此,教育问题的根本解决,第一步绝不应该针对儿童,而应针对成人教育者。教育者必须要理清自己的观念,摒弃一切偏见,最后还必须改变其道德态度。接下来就是要准备一个有利于孩子生活的环境,一个无阻碍的学习空间。环境的设计要符合孩子的需求,让孩子能够一步一步得到必要的解放,使其得以克服一切困难,并开始显露出他的非凡性格。以上两个步骤是奠定成人和孩子新道德的基础。

自从我们专为孩子营造一个适宜的环境,以及接触到孩子在活动中自然流露出其创造力之后,我们便看到了孩子在工作中展现出前所未有的安静平和。一个与孩子精神生命基本需求相匹配的环境,能让孩子长久隐藏的态度自然浮现,因为过去和成人之间的一再抗争,让孩子不得不武装自己,表现出压抑的态度。

我们发现,孩子的内心存在着两种不同的心理状态:其一是自然而富有创造力的,显出其正常、善良的一面;其二是因为受到强者压制而产生的自卑心态。这一发现让我们对孩子的形象有了全新的感受,给我们幽暗的漫漫长路开了一道光,引领我们走向新教育的康庄大道。孩子所表现出来的纯真、勇气和自信,皆出于道德的力量,也是孩子倾向于融入社会的表征。另一方面,孩子的缺点,例如行为缺失、破坏力、说谎、害羞、惧怕以及所有那些让人意想不到的抗争方法,一下子会完全消失无踪。成人如今与之沟通的是一个完全改观的孩子,因此老师也应该以全新的态度来面对。老师不应再集威严权力于一身,应转而以谦和的态度来帮助孩子。既然我们已经察觉到孩子的心理层面呈现出两种不同的情况,因此当我们着手讨论教育方针时,就不能不先理清讨论中的基础对象。我们应该以受成人压制的孩子为主呢?还是应该以在正常生活环境下自由成长、得以发挥创造潜能的孩子为讨论对象？

若是以被压制的孩子为讨论对象的话，那么成人即是制造出许多无法解决的问题的祸首。但若是以自由成长的孩子为讨论对象的话，成人则扮演着一个对自己的错误充满自觉性，而且能和孩子平等以待的角色。所以大人能够轻松愉悦地和孩子相处，一起和孩子共享平和温馨、充满爱意的新世界。

教育科学也应该能够在和孩子平等对待的体制下施行。事实上，科学的概念即是事先假设一个真理的存在，因此才能够有一个向前发展的巩固基础，才能够发展出一套确实肯定的施行方法，进而减低错误的产生。孩子本身就是引导我们求得真理的人、孩子希望大人能够真正的给予他们有用的协助，也就是"帮助我帮助自己"。

孩子的确是经由活动而得以在环境中成长，但是除了活动本身之外，孩子还需要物质上的接触、学习上的指引以及不可或缺的了解，这些在孩子发展上的重要所需，都有赖于成人的提供。成人必须给孩子必要的，做孩子需要的，去帮助孩子自己行动。假如大人做得不够，孩子可能就没有办法顺利地发展，但是如果大人做的太多，可能就阻碍了孩子的发展，使孩子的创造力无法发挥。而这之间的平衡点，我们称之为"介入的门槛"。随着我们引导孩子的经验不断累积，我们就越能够正确的找出介入的恰当时机，而孩子和施教者对彼此的必要了解，也就能更透彻。

孩子的活动，是经由和物质的接触而产生的。因此，我们把一些经过科学印证所挑选出来的教具，放在孩子的环境四周，让孩子任意把玩使用。有关文化传承的问题，也因为这种做法而得到解决。这样的做法不但减少了大人的介入干预，也维持了较为传统的教学形式，让孩子依据其发展所需，自己摸索学习。每一个从活动获得自由的孩子，依据最深切的创造力上的需求而发展，也在学习过程中进步。因此，个体的发展便成了有助于文化传承的课题。老师保持着引导和指导者的角色，但只有在必要时才出现，孩子的个性循着自己的法则展现，演练行动的各项能力。

我们从实际的经验中，领会出许多对教学非常有助益的心得，这些经验心得在我们着手起草明确的科学教育的纲领上有很大的帮助。其中的一项纲领就是：大人的干预、教具的使用和学习环境本身，都必须有所限制。教具提供得太多或者太少，都可能对孩子的发展产生负面影响。教具的缺乏可能导致孩子学习的停顿，教具过多则容易让孩子举棋不定、精力涣散。为了更进一步理清上述概念，让我举一个和食物有关的例子，食物营养的缺乏会导致营养不良，而吃得太多则可能会造成毒害，使身体易患各种疾病。以往，人们以为吃得多有益健康，但是现在大家都知道，吃得过饱并不会让人充满活力，反而会让人觉得疲累。之前的错误观念澄清以后，医生才得以拟出维持身体健康所需的食物质量标准，营养学寻求的则是更精确的计算方式。

现今，有些人相信教具是个人教育的关键，他们以为不需经过计划、不受任何限制地提供大量教具给孩子，是比较好的做法。这些理论就与从前人认为只要吃得多，身体自然健康的想法如出一辙。两者可以相提并论，是因为同样涉及到"喂养"，一个关乎身体，一个则关乎心智。而今，我们有关智能发展的方式，也就是教具的研究，也开始显示出，限制更能够激起孩子自发性的活动和全面的发展。

有些人认为，可资运用的心理因素唯有有意识的心智和语言表达能力，这样的人很明显会彻底忽视婴幼儿。因为即使是出生才几个月大的孩子，也已显现出其独特性。认为婴儿只需要身体上的照顾的论调，模糊了最重要的事实。然而当成人放下压制的身段，试着去理解孩子心理的时候，就能够清楚地体会到，孩子的内在世界远比大家认识到的丰富而成熟。事实上，曾经有研究报告详尽地指出，即使是年纪很小的婴孩，也能和环境水乳交融。孩子适应环境的能力，更胜于他大小肌肉的发展能力。孩子的内在存有一股鲜活的精神力量，即使他的肌肉动作或语言能力的发展尚未开始，他仍然需要我们的援助和精神上的呵护。由此我们得知，孩子的天性是属于二元性的，其中一元是他的内在心理发展，其二则是外在身体的成长。这和其他动物的发展不同，其他动物几乎是打从一落地开始，就靠着天生的直觉来指引它们该怎么做，而人类必须自行建构这套机制，以便展现其精神及采取行动。这让我们想到人类独特的优异之处，就是人的自我必须启动身体动作的复杂器官，这些动作最终又会显示出个体的独树一格。人必须建设自我，拥有自我，最后更要能控制自我。所以我们眼中的孩子其实是一个持续发展变化的个体,他必须一步一步循序渐进的,在行动和精神中间求得平衡的发展。成人的行为通常是经过思考而产生,而孩子则须设法在思考和行为之间取得一致。思想和行动的臻于一致,是孩子在发展过程中的关键。

因此,妨碍孩子的行动,便是在孩子人格建构途中设立了障碍。思想是独立于行动而产生的,而行动则可以听命于他人,动作并非只对某个精神做出反应。因为如果这样,性格会变得脆弱,内心的不协调则会削弱每一个行动的效用。这对人类未来的发展来说,是极为需要重视的一件事,也是家庭教育和学校教育所必须深思的首要课题。孩子的精神比一般人所认为的更为高尚。常常让孩子觉得痛苦的,不是因为需要去做许多事情,而是得去做那些对他来说毫无意义的事。孩子感兴趣、而且愿意付出心力的,是那些能和他的智力程度及他作为一个人的尊严相符的事情。我在全世界上千个学校里,看见很多孩子做出人们以为孩子不可能做到的事。孩子的表现,证明他们能够长时间的做某一件事而不觉得疲累,证明他们能够专心到似乎完全与世隔绝,这些都是孩子人格发展过程中的一环。孩子在文化方面已显现特别的早熟,才四岁半的孩子已经学会如何写字,而且非常热衷于享受其中的乐趣,我们因此将孩子这一时期热衷于画写定义为"画写爆发"。

孩子很小的时候,就在轻松、有趣的气氛下学会画写,他们一点儿也不觉得写字很累人,因为这是一件自发的活动。

看着这些健康、安静、天真、感情细腻、充满爱和欢乐、随时准备帮助别人的孩子,我不禁反思,由于过去对人类的根源所施加的错误,人们实在已浪费了太多的精力。是成人让孩子变得什么都不会做,变得疑惑,变得叛逆;是成人剥夺了孩子旺盛的精力,粉碎了孩子独特的个性。成人急切的去纠正孩子的错误、平息孩子心理上的缺失、弥补孩子性格上的缺陷,殊不知孩子的这一切都是成人自己造成的。身为成人,我们发现自己正迷失在一个没有出口的迷阵当中,身陷于一个毫无希望的挫败里。成人发现自己受困于问题满布的丛林中,不知道如何是好,唯有等到成人能够勇于面对错误并加以改正,问题才会消失。孩子长大成人后,又成为同样错误的受害者,错误若不改正,便会这样代代相传下去。

# PART 15

# 为孩子提供美丽、适宜的环境

最适合生活的地方其环境应该是美丽的，因此，如果我们寄希望于学校成为"观察人类生活的实验室"，我们就必须把美的东西都荟萃于此，就像在细菌学家的实验室里，为培养杆菌就必须备好炉子和土壤一样。

——玛利亚·蒙台梭利

**在**我看来，要从事新式教育，不仅教师的职能需要改变，学校的环境也必须改变。仅仅把"新式教材"引入普通学校，是不可能带来全面革新的。学校应成为儿童能够自由生活的场所，他不仅可以在这里享有在内在发育方面潜在的、精神上的自由，而且能使儿童从生理、生长到机体活动，都可以在这里找到"成长与发育的最好条件"。这些学校不仅要引入可以帮助儿童提高生活质量的生理卫生学，还要在这里进行儿童服装的普及和改革，使新式服装符合既整洁、简朴又宜于自由活动的要求，同时还要能使儿童学会自己穿戴。在我看来，还有一项革新，那就是没有什么地方比学校更适宜于实践和普及与营养有关的幼儿卫生学了。以上原则尤其适于那些"楼内学校"，学生的双亲可以在这里居住，有点像我们最初的"儿童之家"。

在这种自由学校里，对房间也有某些特殊要求。比如，按照心理卫生学的标准，我们将教室的面积大大增加了；还根据生理呼吸的需要，用"求容积法"算出自由流通所需的空气及相应的空间；厕所面积也增加了，同时另配了洗澡间；安上了混凝土地板和可清洗的护壁板，还配有中央暖气系统；供应饭食；同时还设了花园，装上了宽敞的阳台；将窗户改装得更宽大了，以便光线能自由进入；还设有体育馆，里面是宽敞的大厅和结构复杂、价格昂贵的设备。其中最为复杂的是课桌，我们提供的课桌是其座位和桌子都能自动旋转的，以防止儿童因过于频繁的相同运动或长时间固定不动而导致畸形。总之，在学校正在应用心理卫生学的知识。当然，这些要求学校耗费更多的钱，但它能为儿童提供更大的自由活动的空间。不仅如此，如果要达到理想、完美的境地，还应向孩子们提供比"生理"教室大两倍的"心理"教室。以我们的经验，要达到舒适的感觉，必须使房间的地面有一半是空着的，不得放置任何东西，这就是使孩子们感到愉快的、可以进行自由活动的空间,他们在这里的感觉肯定要比在一个塞满家具的中等大小的房间舒服得多。

家具问题也不可小视。在我们的学校使用的是一种"轻便的家具",这种家具既简单又经济。我们还让它很容易清洗,这一点对儿童的意义非同寻常,一方面可以让他们"学会清洗",另一方面又进行了一次愉快而有教育意义的练习。我们所提倡的"轻便"家具,从本质上讲是要达到"艺术之美"的境地,即它不是一种臃肿或奢华,而是让浅绿色所衬托出的高雅、和谐与简单、轻便、洁净融为一体。位于波利戴洛乡村的"儿童之家",是为纪念贡冉嘎侯爵而建立的。在那个"儿童之家"里,所摆设的各种家具、桌子、椅子、餐具柜、陶器的形状和颜色、纺织品的图案以及其他装饰等,都与古老的乡村艺术风格相一致,它们显得是那样的简单、淳朴、优雅、自然、美观和大方。于是我们突发奇想,如果能将这种乡村艺术复活,也许会成为一种新的时尚。更进一步的推论是,我们应当按这种风格制造出简单、典雅而得体的家具,以替代目前学校所使用的用如此复杂而又昂贵的材料所制造的各种家具,这样既体现出家具的实用性功能,又表现了人类的革新精神。

顺着这一思路,如果人们对曾经流传于意大利各地的各种乡村艺术进行开掘、整理,这些独具特色的"丰富多样的家具"将会在各地得到使用与推广。这不仅会使我们的鉴赏力得到大大提高,而且也有助于改变我们的一些不良习惯,更为重要的是,这种努力将为人类引入一种全新的"启蒙教育模式"。艺术的人性化,将使孩子们摆脱目前那种丑恶与黑暗的环境。的确,一进"卫生所"就让人感到恐怖,它那毫无装饰的墙,加上白乎乎的家具,一看就像医院。学校呢,说它像一座座坟墓一点也不过分,在那里,黑色的课桌像灵柩一样成行地排列着。他们之所以选择黑色,仅仅是为了使学生在平时学习时不可避免造成的污迹被遮掩住。教室里除了黑色的课桌、光秃秃的比太平间还简陋的毫无装饰的灰色墙,其他凡是可能分散学生注意力的东西都得从教室里搬走,据说这样是为了使儿童饥渴的心灵"接受"教师所传授的难以消化的知识食粮。换句话说,这样煞费苦心,就是为了使学生的注意力集中于教师的演说之中。其实,一旦一个儿童要是真正被他自己的工作所吸引,就不会有任何装饰品可以分散他的注意力,而美既有助于他集中思想,又可使他处于疲惫的精力得到恢复。我们可以这样说,最适合生活的地方其环境应该是美丽的,因此,如果我们寄希望于学校成为"观察人类生活的实验室",我们就必须把美的东西都荟萃于此,就像在细菌学家的实验室里,为培养杆菌就必须备好炉子和土壤一样。

儿童的用具、桌子和椅子应当轻便,易于搬动,更重要的是要具有教育性。基于此,我们让儿童使用瓷碗、瓷板和玻璃杯、玻璃吸管,因为这些物品最易打破,一旦它们有破损,就等于是在向孩子们粗鲁和漫不经心的行为提出警告。这样就可以引导儿童纠正自己的行为,训练他们行动细心、准确,学会不碰撞、不打翻、不摔坏东西,使自己的行动变得越来越文明和有节奏,并逐渐像主人一样成为各种器皿、用具的管理者。同样,孩子们也会养成尽力做到不弄脏、弄坏他周围那些洁净、漂亮和常用的东西的习惯。通过这些训练,他们能使自我更加完善,使各种动作保持统一与协调,使活动更加灵活、自由。与此同理,我们可以经常让儿童聆听恬静和优雅的乐曲,在接受过这种熏陶和训练后,他们会对噪声和吵闹感到厌恶,同时也会约束自己不要随意发出这类不和谐的声音,也尽量避免与别人吵闹。

与之形成鲜明对照的是,在一般学校里,对那些沉重的、坚固的,甚至连搬运工人也难以搬动的课桌,孩子们即使对它撞击上百次,即使在那黑色桌椅上洒上千百次的墨迹,即使把那金属盘掉在地上一百次,它们既不会有任何破损,也看不出一点污迹!然而,这种环境却会使孩子们对自身的缺点毫无觉察,有利于他们隐藏自己的错误,鼓励他们施展魔法般的伪装伎俩。

儿童需要运动,这已成为人们普遍接受的卫生原则。因此,当我们谈到"自由的儿童"时,一般是指他们能够自由地运动,包括能够自由地跑和跳。经过不断努力,时至今日,差不多所有母亲都接受了儿科医生的建议,即让孩子们到公园去,在草坪上去玩耍,到户外自由地活动。

当谈到儿童在学校的自由时,我们往往把儿童的自由想象成为他们可以跳上课桌做各种危险动作,或者疯狂地撞击墙壁,或者是在一个"宽阔的场所""自由活动"。由此我们推论,如果将儿童禁闭在一个狭小的房间里，他们将不可避免地自己对所面对的障碍采取暴力行为，在这种紊乱的环境里，他们是不会进行有秩序的工作的。

在心理卫生学领域，"自由运动"并不仅仅局限于"身体自由"这种非常原始的状态。当我们讨论如何对待儿童的自由活动时，我们可以以一只幼犬和一只小猫的活动作为类比：无论是幼犬还是猫，都应该可以自由地跑和跳，而且它也有能力这样做，孩子们经常一起在公园和田野里又跑又跳的情形也是如此。如果我们以这种自由运动的概念对待鸟儿，我们的许多安排就会对鸟儿有利，比如，我们会在鸟笼里的合适位置绑上一根或两根（交叉）的树枝，以便利它自由地上下跳跃活动。当然，不管我们做出怎样周密的安排，对于一只曾在广袤无际的平原自由活动的鸟儿来讲，这总是不幸的。

如果说，为了保证一只鸟儿或一只爬行动物的运动自由，为它们提供相应的环境是必要的，那么，我们能以此类推，也为儿童提供与小猫和小狗类似的自由吗？根据我们的观察，当让儿童自己去做练习时，他们一般会表现出不耐烦，容易吵闹和啼哭，大一点的孩子总是企图搞点什么发明。当让他们去做那些为步行而步行、为跑而跑的毫无趣味的练习时，他们会觉得难以忍受，甚至感到屈辱。因此，让儿童听之任之的活动很少有良好效果，也无助于儿童的发展。它只有一个好处，那就是对儿童的消化及生长发育还有点帮助。它更多地会使儿童的行为变得粗野，会使他们染上一些不得体的跳跃或蹒跚步态及其他危险行为。也就是说，儿童不可能像自由的小猫那样在运动中显得优雅迷人，像它们那样通过自然而轻松的跑跳来完善自己的动作。儿童的运动本能中没有任何优雅的气质，也没有任何使其动作完善的自然冲动。为此我们断言，能使小猫得到满足的那些活动并不能使儿童得到满足。既然儿童的本性与猫不同，他们自由活动的方式也必然是不同的。

如果儿童在运动中没有智力方面的内涵，也没有对他们的运动进行有效的指导，那么，他们在运动中就会感到厌倦。这是可以理解的，当我们被迫去做那些"没有目的的动作"时，就会感到一种可怕的空虚。我们知道，为了惩罚奴隶，人类曾发明过一种残酷的刑法,那就是先强迫他们在地上挖深坑,然后又让他们把所挖的坑填平。这种惩罚措施的目的就是让他们所从事的工作毫无目的可言。

科学家对疲劳进行的实验表明,人们所从事的工作一旦带有智力上的目的,与他们从事等量的无目的的工作相比,较不易陷于疲劳状态。为此,就有精神病医生向病人建议,不应通过"户外锻炼"而是"户外工作"来治愈其神经衰弱症。

弄清这两者的差别是很重要的。前者没有什么目的,它只是一种持续性的活动。比如去除灰尘,清洗一张小桌子,扫地,布置或清洁桌子,洗刷鞋子,铺地毯,这些都只是为保护主人的物品所从事的工作,与技工所从事的工作截然不同,技工则是通过智力上的努力去生产产品的。前者只是一种简单劳动,它不需要投入很多智力活动,它只需要一些简单的动作;后者则是一种生产性的工作,它需要做一些最基本的智力准备,需要协调处理一系列与感觉练习相关的复杂肌肉运动。

对儿童来说,这种简单的生产性工作非常适合他,他可以通过这些"进行"自我训练,从而学会协调自己的动作。

为了配合儿童的工作,就必须为他准备"一个适宜的环境",就像我们在鸟笼里为鸟儿放置树枝一样,这样就能让儿童自由地发挥他模仿和活动的本能。儿童生活环境中所配置的设施及用具应与他们的身体高低和力量大小成比例,比如,家具应轻便,易搬动;食品柜要低到孩子能用手臂够得着;锁要是易于使用的;给柜子带上小的脚轮;门要轻便且易于开关;墙上可以钉上高度适中的衣夹、使用的刷子是他们的小手能握得住的;肥皂块的大小要适度;脸盆的大小正好适于儿童盛水与倒水;扫帚是圆柄的,要轻巧;衣服要容易穿脱。这就是我们所称的可以刺激孩子自发活动的环境。在这样的环境中,儿童可以在没有丝毫疲劳感的状态下逐步完善其动作的协调性,并学会人所特有的优雅与灵巧。

向儿童提供自由活动的场所,有助于他从事自我训练,并寻求自我发展,它是使一个人成其为人的重要条件,是形成一个人独特而复杂个性的重要因素。他的社会意识就是在与其他能够自由活动的儿童的共处中形成的。儿童在对自己所做的一切感到满足以及在保护和控制周围的环境中使自己的意识得到升华。儿童在发展自己个性意识的过程中，还培养了要坚持履行其任务的意志品质，并在兢兢业业完成任务的过程中得到一种理性的快乐。在这样的环境中，儿童不仅会自觉自愿地不懈努力工作，而且还在工作中使自己的精神更加健全，他的生理器官也将在工作中得到成长发育并日益强壮。

# PART 16

# 培养孩子稳定的注意力

对幼儿注意力的刺激，主要是在感觉方面要有强有力的、伴随着感官方面的生理"适应"性。由于幼儿生理发育还不完全，这就要求我们遵循自然发展这种适应性。当儿童能自由地选择物体，并在使用中保持高度注意力时，他就能明显地体验到一种愉快、健康的官能活动，并感到这种练习对身体有益。

——玛利亚·蒙台梭利

当我们把儿童放置在一个有利于他精神发育的环境时,我们期望看到:这个儿童马上就能将注意力集中在某类物件上,按照我们事先设置的目的来使用它,并且还无数次地重复这一行为。我们发现,不同的儿童重复的次数是不一样的,一个儿童可能重复 20 次,另一个儿童为 40 次,再下一个儿童则可能达到 200 次。这是与精神发育密切相关的那些行为的先导。

促使儿童有这种表现的因素,源于一种原始的内在冲动,就像人在处于精神饥饿时所具有的那种模糊意识一样。要满足这种饥饿所产生的冲动,就必须将儿童的意识引向明确的目标,即成为一种基本的同时又是复杂的、可重复进行的智力活动。比方说,一个儿童正忙于将一些立体插板或 10 个小圆筒放于和移动到它们各自的位置,在他连续这样做了 30 或 40 次后,一下犯了某个错误,或发现了某个问题,于是他着手将这一问题加以解决了,之后他将变得对这一活动越来越有兴趣,并会试图反复进行这一试验。这样实际上促进了儿童进行有利于其内部发育的复杂的心理活动练习。

也许正是由于这种内在意识的发展,儿童在使用这类物体时往往显得很愉快,并会不断地重复使用它们。正如我们要使一个口渴的人解渴,不能只让他啜啜水,而必须让他喝个饱一样,也就是说,必须让他喝足其身体所需的水分。同理,要满足儿童的心理饥渴,光让他们走马观花地东瞧瞧西看看是不够的,"听别人描述如何使用"就更解决不了问题了,我们应满足他们的内在需要,让他们拥有它们,并充分使用它们。

我们应将这一切作为心理建构的基础,它也是对儿童进行行为教育的唯一秘诀。我们向儿童所提供的环境是他们得以进行自由活动的场所,而其终极目的则是满足其"精神"活动。因此,在游戏中，我们向儿童提供的立体插板不仅仅是让他了解有关物体大小的知识，平面插板的设计也不单单是为了使他形成有关形状的概念，它们的目的就如所提供的其他物品一样，是为了培养儿童的主观能动性。通过这类练习，可以使儿童获得真正明确的知识，并使他在习得这些知识时能保持同等程度的注意力。事实上，正是由于他所获得的感觉知识从其范围、形状和颜色等等方面来讲是精确的，才使人们的精神活动渗透到各个领域，并有可能取得更大成就。

到目前为止，心理学家都一致认为，注意力的不稳定性是三四岁幼儿的特征。他们会被自己所看到的每样东西吸引，其注意力将不断地从一个物品转移到另一物品，也就是说，他难以将其固定在某一物品上。在他们看来，集中儿童的注意力很难，这正是儿童教育所面临的障碍。威廉·詹姆士就指出："我们都熟悉儿童注意力具有极端易变性，这种易变性可以从我们给他们上的第一堂课表现乱七八糟上反映出来。……这种特性加上其注意力的被动性特点……使儿童更多地表现为只是偶然注意他所看到的每件东西，这是做教师的必须要克服的第一个困难。……他们从这种多变的注意力状态自动恢复的能力是其形成判断力、性格和意志的基础。……促使他们对这种能力加以改进的教育才是最优化的教育。"

由此看来，一个人如果仅仅任其天性行事，他永远也不可能集中自己的注意力，他只会任凭自己的好奇心使注意力从一物体向另一物体转移。

事实上，在我们的实验中，幼儿的注意力并不是由一个教师人为地保持的，而是由某个固定的能引起他注意的物体来保持的。在同样的情境中，一个新生儿在吮吸活动中完成的那些复杂而谐调的运动，也是受第一位的、无意识的营养需要所制约的，并不是有意识的、目的明确的追求的结果，事实上这时新生婴儿还不可能有目的明确的意识。

因此，最先呈现出来的是一种基本的外部刺激，它是一种真正的精神乳汁，我们可以从孩子的小脸上看到他的注意力表现出令人吃惊的高度集中。

我们发现，一个年仅 3 岁的儿童可以连续 50 次地不断重复同样的活动,此时有许多人在他周围四处走动,还有人在弹钢琴,有一群儿童在齐声唱歌,如此嘈杂的环境也未能分散他那高度集中的注意力。同样,当一个孩子正在衔着母亲的乳头吃奶时,无论身边发生什么事,他都不会停下来,除非他已经吃饱了。

只有自然才能创造这样的奇迹。因为心理行为根植于自然,我们就必须探寻大自然的秘密。为了理解自然,首先得对自然的开始阶段有所了解,因为那些最简单的东西是揭示真理的基础,也是解释更复杂现象的指南。事实上许多心理学家都是这样做的,为了获得有关生命的知识,他们就是从观察活的生物的自由开始的。如果法布尔没有让昆虫去自由地实现其自然的表现形式,并在观察它们时不对昆虫所从事的工作有任何干涉;如果他仅仅将昆虫捉住,将其列入研究视野,他就只能根据这些昆虫来做实验,无法揭示出昆虫的生活中所发生的各种奇迹。

如果细菌学家没有在营养物质和温度条件等方面创造出一种与细菌生长相似的自然环境,从而使这种细菌"能自由地生存",以展现其特征;如果他们只是将自己局限于利用显微镜来固定观察一种疾病的细菌,那么,用于挽救人们生命和保护一个民族不染上传染病的科学就不会问世。

要使各种生命力真正实现自由,其基础性工作是运用各种方法去观察生物。自由是从事儿童注意力实验研究的条件。我们要记住,对幼儿注意力的刺激,主要是在感觉方面要有强有力的、伴随着感官方面的生理"适应"性。由于幼儿的生理发育还不完全,这就要求我们遵循自然来发展这种适应性。在发展这种适应性的过程中,如果一个物体不能成为对适应力的有用刺激物,它必然既不能让孩子在心理上保持注意力,还会使他们在生理上造成疲乏,甚至伤及眼、耳等适应性器官。当儿童能自由地选择物体,并在使用中保持高度的注意力时,他就能明显地体验到一种愉快、健康的官能活动,并感到这种练习还对身体的各个器官有益。

要注意的是,与此同时,与这种外部刺激相关的促进想象形成的神经中枢也要做好准备,换句话说,就是要做好内部的心理"适应"。具体而言,当外部刺激在起作用时,大脑神经中枢就会通过其内部程序依次出现兴奋。两种力量的作用就如同在开启一扇关着的门：靠外部的感觉力量敲门，内部的力量则将门打开。如果内部的力量不把门打开，外部的刺激力量再强也是徒劳的。一个心不在焉的人可能会漫不经心地跌入峡谷，而一个专心于工作的人则能做到对街上乐队的演奏充耳不闻。

注意力是心理学最感兴趣的方面，它在教育方面也体现了最实用的价值。教师的整个艺术，就在于把握儿童的注意力，使他们对他的教学充满期待，并在他们"敲门"时，向其提供"开门"的内部力量。但是，如果这一工作是完全陌生的或难以理解的，就不能唤起孩子的兴趣。教学实际上是一门逐渐引导学生从已知到未知、从易到难的艺术。我们要引导他们通往新奇的"未知"领域的大门，进一步深入学习和将注意力引向期望的状态。

按照教育学的观点，聪明的教师就像战略家一样，他在办公桌上准备着战斗计划，并扮演着"指挥官"的角色，引导他人迈向预定的方向。这种教育观源于长期统治心理学的唯物主义观。根据赫伯特·斯宾塞的理论，思想最初只是一堆无足轻重的泥块，后来由于外部因素的作用，使其留下了深浅不一、多少各异的痕迹。他认为，正是经验造就了人。只要在教育中配备一套合适的经验结构，就可能造就人。甚至有人相信，既然蛋白是细胞的有机基础，它的外形就可以经由人工制造出来；甚至有人根据人的卵细胞也是一类细胞，相信到了某一天，人也能在化学家的工作台上制造出来。然而在物质领域，没有任何化学合成物能够将缺乏物质外壳的活力、将潜在的生命力以及将导致细胞发展成人的神秘因素放进细胞。

儿童的注意力难以集中这一现象似乎告诉我们，心灵敏捷的人会受到类似自然法则的制约。

现代心理学家威廉·詹姆士承认，"精神力量"是"生命的神秘因素"之一，但丁也说："……人类不知道他的最高智慧从何而来，也不知道他对物质的最高欲望从何而生，他只是像蜜蜂一样，凭自己的本能在酿蜜……"。人对外部事物的特殊态度构成了其天性的一部分，并决定着他的性格特征。我们的注意力不是被那些无关紧要的东西所吸引，而是被那些我们感兴趣的东西所吸引。只有那些能唤起我们内在活力的东西才会引起我们的兴趣。我们的内在世界会对外部世界所提供的信息做出选择，以使其与我们的内部要求相一致。比如,画家在这个世界上能发现最丰富的色彩,音乐家则最容易受声音的吸引。尽管人们生活在同一环境中,个性特征、内在表现、人与人之间的差异,在某些人中间还是表现得很明显,但他们只会从环境中获取自己所需的东西。那些形成自我的外部世界的"经验"在人与人之间是不会造成混乱的,而且还受他个体能力的支配。

对于小孩来讲,没有一个教师能够用任何技能来使他对某一物品显得神情专注,很明显,这种专注力是内部力量作用的结果。我们从历史记载的天才中发现,尽管他们性情各异,但他们都拥有超常的注意力。比如,阿基米德就是在伏案研究他的几何图形时被杀的,他是如此专心,传闻当叙拉古城被敌人攻下时,都未能使他分心;牛顿也是如此,当他沉醉于研究时竟忘了吃饭;意大利诗人阿尔费尔瑞在写一首诗时,居然充耳未闻从他窗前经过的结婚队伍的喧闹声。

然而,天才人物所具有的在注意力方面的这些特征,是无法被一个"对此感兴趣的"教师唤起的,无论他的教学艺术如何巧妙,多么高超。

如果说儿童的内心有一种精神力量在起作用的话,通过它便可以打开他的注意力之门。如果说以上观点是正确的话,由此引出的问题就是关于自由在儿童心智构建中的作用的问题,而不是一个简单的教学艺术问题。从逻辑的观点来看,通过外部力量来为儿童提供适于其心理需要的营养物质,和用尽可能完美的方式尊重他们自由发展的态度,是建立一种新的教学法的基础。

科学应通过实验来建立儿童心理发展所需要的东西,在此我们将能观察到众多复杂生命现象的发展,在这一过程中,理性、意志和性格将一并发展起来,就如同营养合理的儿童的脑、胃与肌肉会一道发育成长起来一样。

首先我们会发现孩子认知能力的产生,它为智力的发展提供了第一粒胚芽,以补充其本能的兴趣。一旦这种情况发生,认知便开始为儿童建立类似注意力的心理机制。就这样又一次发生了从已知到未知、从简单到复杂、从易到难的演变,只不过是带有独特的特征。

从已知到未知的演变过程,不像有的教师所设想的那样,是从一物体转移到另一物体,它是在儿童内心所建立的一种复杂的观念系统,这一系统是儿童通过一系列心理过程由自己积极构建起来的,它代表了一种内部的心理发育过程。

要达成上述变化,我们就必须为儿童提供大量系统的、复杂的、与他的本能相一致的材料。例如,我们可以向儿童提供一系列物体,以引发他对颜色、形状、声音、触觉和气压的本能关注,儿童则以他特有的方式,通过同各种物体发生持续的活动,以组织他的心理个性,同时获得一种对于事物清晰、有序的知识。

完成这一步以后,这些以形状、尺寸、颜色、光滑度、重量、硬度等等呈现的物体,就与儿童的心理产生了关联。儿童的意识中开始存在某些东西,他时刻期待着它们,并很乐意接受它们。

当儿童在这种原始冲动基础上又有了对外部事物的认识与注意之后,他便与这个世界上的某些东西建立起了联系,并产生了更为广泛的兴趣,也就是说,它们不再仅仅局限于与原始本能相关的原始兴趣,而是建立在已获得的知识基础之上的,并且会成为他的洞察力的基础。

旧的教育学观念认为,要使儿童的注意力集中到未知的东西上,就必须将已知和未知联系起来,因为他可以从新知识的获取中扩增自己的兴趣。但我们通过实验观察到,这种观点只是捕捉到了这一复杂现象的某些细枝末节。实际上,已知的知识会把兴趣引向更具复杂性和更具崇高意义的事物,并使文化持续不断地演变、不断地延续,而且这一过程本身就在头脑中创造着秩序。教师在上课时简单明了地说:这是长的,这是短的,这是红的,这是黄的,等等,她就这样固定用一个简单的字清楚地表明了感觉的顺序,并把它们进行分类、编目。在孩子的头脑中,能把每一个映象与另一个映象完全区别开来,并有其明确的位置,而且这种映象可以用一个字回忆起来。因此,新的知识既不会被虚搁一边,也不会与旧的知识相混淆,而是会被储存在合适的地方,并与原先的同类知识归于一起,就像图书馆里陈列有序的图书一样。就这样,在人的内心深处不仅拥有一种要求增加其知识的动力,而且还会形成一种秩序,这种秩序又通过不断吸收新的信息而得到持续保持。因此,内部的协调性就像生理上的适应力一样，它本身就是在自发活动基础上建立起来的，个性的自由发展、个人的成长与组织建构都是由其内部条件决定的。

教师可以对这些现象进行控制。不过，她在这样做时，一定要十分小心谨慎，以免把儿童的注意力引向她自己，因为儿童的全神贯注决定着他的未来。教师的艺术在于理解孩子的行为，避免对自然出现的现象进行干预。

让我们继续讲述有关身体营养的例子。在这方面我们应考虑到，婴儿在长了牙齿后就能产生胃液了，因而要求给他配置更复杂的膳食，我们成人会利用现代一切烹调技术及其他可能手段，使他们获得最好的营养，直到他长大成人。而实际上，为了保证儿童的身体健康，他只能吸食其机体最直接需要的食物。如果他所食用的物品过杂，或是不寻常的、不适宜的、甚至是有毒的食物，其结果必然导致他营养不足、甚至自我毒害，由此遭至"疾病"。回过头来，我们再来讨论注意力的问题。对于大一点的孩子，应让他们优先关注那些作为生命基础的本性和作为生活基础的刺激之间相对应的基本事实，无论它们怎样变化，这些始终应作为教育的基础。

我的这一观点遭到了"专家们"的反对，对此我早有准备。"专家们"认为，儿童必须养成注意任何东西的习惯，甚至包括那些他们不喜欢的东西，这是实际生活对他们提出的要求，因此他们必须为此而努力。

这种论点是建立在偏见之上的，它与家庭里面严厉的父亲所说的："儿童们应习惯吃任何东西。"之类的话差不多。在这里，道德教育被抛置一边。这实在让人感到可悲。好在这种命令式的教育现在已过时了，假如这种做法还流行的话，做父亲的就会罚他们的孩子整天禁食，原因是孩子在吃午饭时拒绝吃一道他不喜欢的菜，也就是说，孩子除了吃那道被他拒绝的菜之外，其他任何东西都不准吃，哪怕这道菜已变凉，甚至令他作呕。到最后，由于饥饿削弱了儿童的意志，扑灭了他的幻想，他才只好将那盘冷食一吞而尽。那位当父亲的居然还理直气壮地说，他在任何情况下都能安排孩子的生活，我的儿子会吃下任何提供给他的东西，他不贪吃，也不任性。那时，为了让孩子克服贪吃的毛病，他们采取的办法极其粗暴："在他们还没有吃晚饭的时候就把他们送上床。"

直至目前，那些坚持认为儿童对自己不感兴趣的东西也要予以注意的人就采取了类似的方法。然而，即使一个孩子没有偏食的习惯，那些"冷的、令人作呕的食物"也不会变得香气扑鼻，这类不容易使他消化的食物只会毒害不愿意进食者的身体，并使其越来越虚弱。

被这样要求的孩子是不可能拥有坚强的精神去应对生活中的困难和可能发生的各种事情的。那些在吞咽了冷汤或不易消化食物后马上就上床的孩子，他们的身体往往发育不良。一旦遇上传染病，他们会因为抵抗力差而很容易病倒。另一方面，从道德上讲也对他的成长不利。由于他在童年时期有许多未满足的欲望，而在他的内心则把这些欲望的满足视为最大的自由和最大的快乐，当他成长为成年人后，就会在吃喝上毫无节制。与这类人的表现迥然不同，今天的男孩由于向他们提供了合理的喂养，使他们有了一副健康的身体，也使他们成为了有节制的人。他吃东西时是在追求一种健康的生活，他反对酗酒，不会无节制地进食，因为他知道这对身体有害。一个现代人能从多方面抵御传染病的侵袭，他会在没有任何强迫之下便努力作好各种防备；能勇于尝试与从事各种艰苦、费力的运动；会试图去完成一些伟大的事业；能够勇于面对冷酷的道德冲突，并能使自己的精神净化。只有这样的人才能成为意志坚强、精神不倒和能及时做出决断的人。

一个人的内在生活发展得越正常，他就越能成为一个有个性之人，他就越能培育出坚强的意志和健全的心智。一个要在人生道路上搏击的人，他不必从诞生之日起就开始准备，但他必须是一个坚强的人。他身上所具有的强力是日复一日储备而来的，没有哪个英雄在做出英雄业绩前就是英雄。我们未来生活的艰苦程度是无法预见的，也不会有人为我们准备如何去迎接它的方法，一个人只有朝气蓬勃才能应对任何事情。

当一个生物正处于进化过程中时，生物学家所能做的事情就是保证它的正常发育。同样，胎儿必须用血来滋养，新生儿则需要奶来抚育。当胎儿在子宫内生活时，一旦血里的蛋白质和氧气缺乏，或有毒物质进入机体，这个生命将不能得到正常发育，产后的照料是不可能使一个先天不足的人强壮起来的。如果婴儿缺乏足够的奶，他在生命的最初阶段处于营养不良，这等于是宣告他将永远处于劣等状态。躺着吃奶、充足的睡眠，就是在"为行走做准备"。正是在吃奶的过程中，婴儿开始长牙了。鸟巢里刚会飞的小鸟，它们不是马上去训练飞行的方式，而是在那温暖的、有食物的小窝里保持不动，也就是说是在为生活做着间接的准备。

鸟儿飞翔的技巧、野兽的凶猛、夜莺的歌声、蝴蝶翅膀上斑驳的美丽，诸如此类的自然壮观景象，如果它们没有在秘密的巢里、洞穴中或孤独的茧里做准备，是万万也无法观赏到的。自然界的万物在形成过程中只要求有一个宁静的环境，所有其他一切都不能替代它的功能。

儿童精神的发育也同样需要找到一处温暖的巢。只有在那里，才能保证他的营养，为他以后的发展做准备。因此，向儿童提供与其精神形成倾向一致的物体是十分必要的，其目的就在于：以最小的代价尽可能地充分发展人的潜能。这正是教育的目的之所在。

# PART 17

# 对孩子进行意志教育

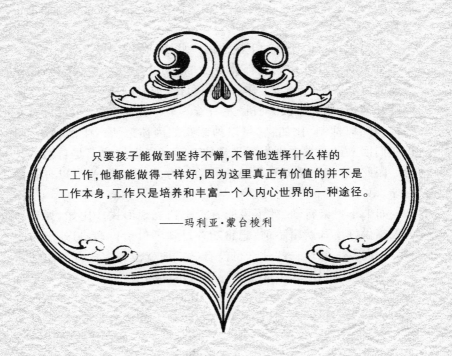

只要孩子能做到坚持不懈,不管他选择什么样的
工作,他都能做得一样好,因为这里真正有价值的并不是
工作本身,工作只是培养和丰富一个人内心世界的一种途径。

——玛利亚·蒙台梭利

当儿童从众多物品中挑选出他所爱之物时；当他从餐柜中取出某种食品，然后又把它放回原处或将之让给其他伙伴时；当他梦寐以求的某些玩具正被他人占用而自己只能在边上苦等时；当他一边聚精会神地做着练习，一边纠正教材里的错误之处时；当他在座位上一动不动，直至听到他的名字才站起来，而且站起来时还小心翼翼地唯恐脚碰到桌椅以免发出声响时，这些已处处体现出了他的"意志"。在影响他才能发挥的因素中，真正持续起作用的也正是意志。

下面让我们来分析一下意志的一些协同因素吧。

意志的全部外在表现都体现在"行动之中"，无论人们采取什么样的行动，比如行走、工作、讲话、写作，或是睁眼凝视、紧闭双眼以避开某物，他都在被"动机"左右着。另一方面，意志也可以对某些行为加以抑制，比如，它可以抑制我们因愤怒所产生的冲动，阻止我们因一己之欲去别人手里攫取东西。以上这些都是自愿的行动。因此，意志不是导致简单的冲动行为，它还对行为加以理智的引导。

如果不付诸行动，就不可能有意志的表现形式。比如，如果一个人想做好事却踌躇不前；想将功补过却不付诸行动；想外出访问或写信向友人问候，却什么也没有做，他就没有完成有意志的活动。只是处于想象之中或只有愿望是不够的。一切都必得归于行动，而且关键在于行动。意志有多大的生命力，行动就有多强的生命力。我们所有的行动是冲动和抑制两种力量制衡的结果。在这两种合力的作用下，我们的行为经过不断的反复，就会成为习惯性的或无意识的。

事实就是如此。诸如当我们在品评"一个有教养之人的行为举止"时，他的所有习惯性动作就属于这种情况。我们也许会因一时冲动想去拜访某位朋友，但当我们意识到这一天不是她的接待日而可能打扰她时，我们便放弃了。当你正舒适地坐在起居室的一角时，一位德高望重的女士走了进来，你会下意识地立即站起身，向她鞠躬，或者同她握手。

当我们了解到我们想吃的蜜饯正好也是邻居爱吃的那种时，我们在品尝时，就会十分小心翼翼，尽量不让她发现。我们的行为并不仅仅由冲动所支配，它们也体现了我们的礼貌与教养。一方面，如果没有冲动，我们就不可能参加任何社交活动；另一方面，如果没有抑制力，我们就无法修正、引导、利用我们的冲动。

正是这两种截然相反的力量之间的相互平衡，训练和培养出了我们的习惯。有了这种习惯以后，我们在做事情的时候，就不必一定要下决心去付出多大努力，也不需要用推理或知识去完成它们。它们几乎成了一种习惯性的动作。不过，我们这里所谈论的行为并不是由本能所引起的，而是一种习得的习惯。

在我们身边的一些人，在他们成长的过程中，并没有受过要遵守某些规则的教育，只是囫囵吞枣地接受了一些有关纪律方面的知识，因此，他们难免会经常犯大错，平时更是过失不断，因为他是在被迫执行要在某时某地"执行"某项行动的指令，并一直处于警觉和意识的控制之下，这是一种长期不断的努力，与那些具有高雅风度的人的"习惯"完全不是一码事。对于后一类人来讲，意志会在意识之外或在其边缘进行持续不断的努力，以促使意识进行新的发现和做出更多的努力。

和成人相比，儿童还是一个发展不平衡的小生命，他们常常爱冲动，并只得吞下由此带来的苦果，他们有时还会向抑制力屈服。在他们身上，意志的两种截然不同的力量还没有融为一体，以为他塑造出一种新的个性。直到心理萌芽阶段，这两种因素仍然处于分离状态。不过我们不能放弃这种努力，因为这种"融合"和"适应"是一定会发生的，并将在潜意识中起到支持作用。

因此，我们应当尽早诱发他们这种积极的行为，因为它们对人的发展来讲是最基本的。要提醒的是，我们的目的不是将孩子培养成为一个早熟的小"绅士"，而是促进他锻炼自己的意志，更早地建立抑制和冲动间的相互联系。为此，我们应让孩子和其他孩子一起活动,在日常生活习惯中训练他们的意志。让他专心致志于某项任务,并抛弃一切与完成此项任务无关的活动。让他选择力所能及的肌肉协调活动,并坚持练下去,直到使这种协调动作成为习惯。当他开始学会尊重别人的工作时;当他耐心地等待所想要的东西而不是从别人手里抢过来东西时;当他到处走动时,既不会撞倒伙伴,也不会踩他们的脚,或把桌子弄翻时,这些表明他正在锻炼自己的意志,努力使冲动和抑制趋于平衡。这种态度的养成便是在为孩子融入社会生活做着准备。

与之相反,如果我们只是让孩子们肩并肩一动不动地呆坐在那儿,他们之间就不可能建立起应有的联系,幼儿的社会生活也不可能得到发展。

只有通过自由的交往,通过进行让孩子们彼此之间相互适应的训练,他们才能建立起社会化的"习惯"。仅仅对他们进行应当做什么的说教,是决不会达到培养他们意志的目的的。要让孩子的举止优雅大方,只是向他灌输"礼貌观念"或"权利与义务观念"是不够的。正如我们不可能向一位专心致志的学生讲述弹钢琴的指法,就能让他弹奏贝多芬的奏鸣曲一样。在所有类似的活动中,要使他发展"成型",最基本的一点是要训练他的意志力。

在培养孩子个性的早期教育中,调动所有有用机制的做法都是很有价值的。如同运动一样,让孩子们做体操是很有必要的,因为众所周知,没有得到锻炼的肌肉是不可能完成那些需要肌肉力量的运动的。甚至为了保持心理生活的能动性,类似的体操运动也很有必要。没有得到锻炼的机体是有缺陷的,一个肌肉无力的人是不愿从事各种活动的。

对这类人来讲,当需要他采取行动以脱离危险时,他就只有死路一条了。一个意志薄弱、"意志低下"或"丧失意志"的孩子,能很容易适应一所让所有孩子都呆呆地坐着听或假装在听的学校。但是,这类孩子的结局往往令人同情,尽管学校在他们的通知单上写着"表现优秀,学习进步"的评语,但他们有些往往不得不到医院去治疗神经错乱症。对于这类孩子,教师总这样夸他们"真乖"。其结果是,这些孩子只得在不受任何干扰的环境下沉浸于虚弱之中,而让自己像被流沙一样吞没。

与之对照的是,那些生性好动的孩子,却被指责为制造混乱的人,被贬为"调皮精"。而当我们探究他们调皮的性格时,他们身边的人就会异口同声地说:"他们总是静不下来。"他们的好动还被进一步具体化为"侵犯其他同学",而他们的侵犯几乎总是这样:千方百计地使处于静止状态的同学激动起来,以融入他们的队伍。另一个极端是受抑制力支配的孩子,他们往往害羞到了极点,在回答问题时也犹豫不决,下不了决心,即使在给他们施加一些外部刺激后,会回答问题了,但总是声音很小,在回答完问题后居然会哭起来。

对于以上三类孩子,应该给予他们参与自由活动的必要锻炼。当一个意志薄弱的孩子看到其他孩子在从事着不断的、有趣的运动时,会给他带来最有益的刺激。当这类孩子从被监视的状态解放出来,按照自己的意愿自由行动时,这种有规则的训练会使他在过分好动与过分屈服于抑制力之间找到一种平衡。这也是使人类获得解放的重要途径,它使弱者获取力量,使强者得到完善。

不能在冲动和抑制之间找到平衡,是病理学一直在研究的一个熟悉而有趣的问题。我们在"正常人"身上也常会发现这种情形,尽管其程度没那么严重,但就像我们在教育中遇到的种种不足和缺陷一样,也已达到了司空见惯的地步。

冲动使罪犯做出危害他人的行为,它同样使正常人经常为那些轻率的行为给自己带来的痛苦后悔!多数情况下,易冲动会给正常人带来莫大的害处,使自己的事业蒙受损失,使自己的才能得不到施展。

一个被病理学家判定为是自己抑制力的牺牲品的人,他一定是一个更为不幸的人。他尽管处于静止不动,并保持着安静的状态,但其内心却充满着要去活动的渴望。那种得不到满足的冲动会无数次地折磨一个人的灵魂。他有一种被活埋的感到可怕的压抑感!他多么想求得医生的帮助,求得那高尚灵魂的安抚,以倾诉自己的不幸啊!而且不知道有多少正常人经受过同样的痛苦!

他们在一生中本来有许多恰当的时机表现自己的价值的,可他们却没有这样做;他们本来有无数次想表达自己的真情实感,以扭转困难局面的,可他们的心扉总是紧闭,嘴一直保持着沉默;他们本来十分热切地盼望着向某个能够理解他们、启发他们、安慰他们的高贵灵魂倾诉的，可当他们面对自己所景仰的人时，却一句话也说不出了。他们唯一感到的是内心的极度痛苦。尽管冲动在他们的意识深处督促道："说吧！说吧！"，但抑制却像那无法抵抗的自然力量一样无情地堵塞了他的嘴。

要治愈这种症状，别无他途，只有通过自由运动，使他们接受使冲动和抑制达到相互平衡的意志教育。

在此要区分开的是，那种在潜意识里就能采取"正确"行动的人，并不是我们所称的"有意志的人"。正如我们在前面已提到过的，一位非常有修养、出身十分高贵的女士也许是一个"毫无意志"、"毫无个性"的人，但这种人不是我们所需要的人，我们要培养的是一个人的基本品质，人与人之间的关系和整个社会这幢大厦就是建立在此之上的，一个社会正是靠一代代人坚忍不拔的努力才得以延续。

这种品质是内在个性和谐的基础。没有它，一个人的生命就会像一具分离成单个细胞的身体，而不是一个相互连贯的机体，它就像一串不连贯的插曲而处于一片混乱。这个基本品质体现了一个人的情感和思想脉络，即他的整个个性，也就是我们所说的"性格"。一个有性格的人才会成为一个坚定不移的人，成为一个忠实于自己的言行、信念和情感的人。正是这些人持之以恒、坚持不懈地工作，才创造了巨大的社会价值。

任何一位堕落者，在他萌发犯罪动机之前、在他背叛自己的感情之前、在他失足之前甚至在他放弃可以使人的行为高尚的信仰之前，往往会表现出懒惰或不能持之以恒地工作的特征。一位忠厚老实、举止得体的人，当他在显露出暴力的动机、行为上的失常或神志昏迷之前，总有一种先兆，那就是他不再乐于将精力放在工作上。人们总是习惯性地认为，那些勤劳的姑娘会成为贤惠的妻子，一个好工人一般是一个忠厚老实的人，他能给做妻子的带来好运。这里所说的"好"，并不是指他的能力，而是一种坚持不懈、不屈不挠的劲头。

例如，一个在制作小工艺品方面有高超技艺但在工作上缺乏意志的冒牌艺术家，不会被人们认为他有什么了不起。在人们心目中,他不仅不能兴家立业,是一个不称职的丈夫、父亲,反而还会给社会造成危害。与之形成鲜明对照的是,一个最谦卑的虔诚"工作"的手工业者,其内心却充满了创造幸福和宁静生活的所有要素,诚如人们所议论的,她是一个有个性的妇女,一位配得上被称为征服世界的女性。

一个在自己的精神生活中建立起内在秩序与平衡,使其个性得到成长,并在这一工作中显得坚持不懈的孩子,他将能和成人一样造福于集体。这位专心致志、废寝忘食地对自己进行训练的小孩子,正在不断努力使自己成为一个坚定不移的人,一个有个性的人,一个具有人类所有优秀品质的人。他的所有这些努力将使他最终具备一个成功者的基本特征:坚韧不拔地工作。只要孩子能做到坚持不懈,不管他选择什么样的工作,他都能做得一样好,因为这里真正有价值的并不是工作本身,工作只是培养和丰富一个人的内心世界的一种途径。

那类为了让孩子做一些我们觉得重要的事情而去打扰他们工作的人,那类认为地理对指导孩子的修养很重要就不让孩子学算术的人,是混淆了目的和手段的关系。这些人为了虚荣会毁了自己的孩子。一个人需要指导的不只是他的修养,而是他作为一个人本身。

如果坚持不懈是意志的基础,那么,我们所做出的决定则可被视为通过意志所采取的行动。为了完成有意识的行动,我们就必须做出决定。而决定又是选择的结果。如果我们有几顶帽子,在我们出门时就必须决定戴哪一顶,到底是褐色的还是灰色的都无关紧要,重要的是我们必须选择其中的一顶。在我们做选择时,动机起着重要的作用,比如我们是偏爱灰色的还是褐色的,一旦某一动机占据上风,我们就做出了选择。

选择戴哪种帽子的决定还相对容易些,因为我们的习惯在此会起一定的作用,而当我们要花钱买件礼物时,情况就大不一样了。在琳琅满目的商品中,我们到底选择哪一种呢?如果我们对这些商品的信息知之甚少,便更会诚惶诚恐。当我们想选择一件艺术品时,却由于自己对艺术不大懂行,就特别怕被骗或当众出丑。我们连是选择一条彩带还是一只银碗都拿不准,于是我们便去向他人求教,希望得到指点。

当然,并不是说我们一定要按照他们给出的建议去做。说实在的,他们的建议只是向我们提供了知识,为我们的选择提供帮助,但它与我们在意志上的努力所提供的刺激相比,不可同日而语。意志是我们唯恐会失去的东西,它与我们做决定时所必需的知识不同。当我们在听了一个或几个人的建议后再做出选择时,就打上了我们自己的印记,成为了我们自己的决定。

一名家庭主妇在为客人准备晚餐时也要做出各种选择,不过,她在这种事情上经验非常丰富,而且鉴赏力很高,因此,她在做这种决定时会十分得心应手,并不需要得到外来的帮助。

但是,这种驾轻就熟的事在我们的日常生活中毕竟太少了,谁都知道,我们在任何情况下所做出的任何决定都是一种脑力劳动,都要付出不懈的努力,只有那些意志薄弱的人才会觉得做这些事情极其厌烦,因而会竭力避免去做出选择。

比如,一个服装师在为某位夫人选礼服时,他必须三思而行,才能从众多动机中选择其中合适的一个。服装师知道,要做出这种决定,需要经过相当长一段时间的考虑,但是他因为怕烦琐,于是就给这位夫人建议:选这件吧,这件礼服您穿上太合适了。这位夫人也点头表示同意。实际上,到了这一份上,与其说是她对服装感到满意了,倒不如说是她已不想动脑筋就做出决定了事。我们不能以这样的态度来对待我们所遇到的事情,因为我们的一生就是不断做出选择的一生,哪怕我们在出门时,也要明确无误地知道门已锁好,并确信房间已安然无恙后才决定出去。

我们越是加强这方面的训练,就越能摆脱对他人的依赖。清晰的思维和做明确决定的习惯,会带给我们以自由感。什么是将我们捆束于屈辱的奴隶状态的最沉重枷锁?除了无力自我做决定,以及凡事依赖他人,还能有什么?!一旦陷入这种状态,我们就会从此害怕犯“错误”,不敢在黑暗中摸索,对于那些还未能认清其具有不良后果的事情,我们总是唯恐避之不及。就这样一步一步地,我们就只好像一条拴着链子的狗似的,跟在别人后面摇首摆尾,直至完全陷入依赖他人的泥潭。如果没有他人引领,我们甚至连一封信都发不出去,一块手帕也买不回来。

在这种状态下，一旦真的发生冲突，需要立即做出决定时，由于他已习惯于尾随某位意志坚强的人，这个性情懦弱的人就注定会犹豫不决。我们看到，他已不知不觉被梦魇般的屈服所缠扰，更为可怕的是，对于这位意志薄弱者来讲，他已迈向了使其遭受灭顶之灾的深渊。因此，一个青年人越是居于服从的地位，他就越是没有能力锻炼自己的意志，因而也就越容易成为如今这个危机四伏的世界的牺牲品。

鼓起勇气与之抗争并不是一种幻想，而是一种对意志力的锻炼。我们在日常生活中也能找到这种情形。比如，一位家务缠身、事无巨细、任何事情都习惯于自我做主的家庭主妇，就比一位尚无孩子、整天无所事事、懒洋洋地打发着光阴、习惯于听从丈夫意志的女人更能适应社会。前一类女人若成了寡妇，她可能会因形势所迫而学会一步步精通业务，继续丈夫打理的企业；后一类女人如遇这种打击，则只好另寻保护，以免自己在这场突如其来的灾难中受到伤害。要使我们在精神上获得拯救，我们最终还必须依靠自己，因为在危急关头，我们总是处于孤立无援的境地，即便有人相助，援兵也不可能马上赶到。

一个意识到只有靠自己去拼搏的人，就会进行拳击和决斗方面的训练，以提高自己的力量和技巧。他决不会双手抱于胸前，在那儿悠自悠在地坐着，因为他知道，如果那样的话，他将要么成为一个失败者，要么只能像一个影子一样一直处于某位强人的保护之下，但这在现实生活中是不可能的。

# PART 18

# 对意志进行不懈的训练

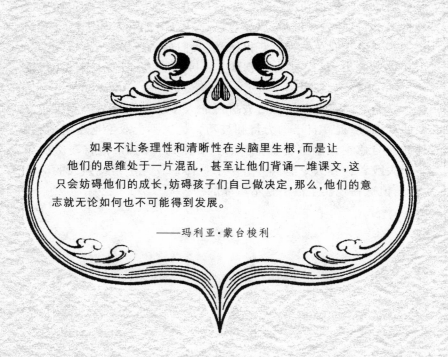

　　如果不让条理性和清晰性在头脑里生根，而是让他们的思维处于一片混乱，甚至让他们背诵一堆课文，这只会妨碍他们的成长，妨碍孩子们自己做决定，那么，他们的意志就无论如何也不可能得到发展。

——玛利亚·蒙台梭利

**坚**持不懈地工作，清晰的思维，在意识中养成对会造成冲突的动机进行筛选的习惯，在琐碎的日常生活中对最微不足道的事情所做出的决定，对某人的行为逐步施加的影响，在那些不断重复的行为中不断增强自我指导的能力，这些都是在为形成坚实的个性打基础。在这里，道德将像一位深居中世纪城堡里的公主一样居于我们体内。

当然，要"建造"一间让道德居住的"房屋"，我们还有必要对身体施加适当的控制。例如不酗酒，到户外活动以恢复体力。当然有比这些更为重要的，那就是，为了使心理上的疲劳得以恢复，我们有必要对意志进行不懈的训练。

当小孩子们通过自我教育，将那些复杂的、需要做出比较和判断的内心活动付诸行动时，他们一方面是用这种方式获得了有条理的、明晰的智力，另一方面也培养了他们的意志。这是一门能帮助孩子们在不依赖别人意见的情况下形成自己决定的"学问"。掌握这门学问后，他们就能把握自己日常生活中碰到的一切事情；对于那些有欲求的东西他们会自己决定拿还是不拿；为了放松身心他们会情不自禁地伴随旋律翩翩起舞；当他们想安静时就会抑制所有要去运动的动机。这种坚持不懈地培养个性的工作，都是通过决定付诸行动的。

从此，井井有条代替了初期的紊乱，整个生命便进入了一种自发的状态，怀疑和胆小也伴随心理混乱的消失而跑开。

如果不让条理性和清晰性在头脑里生根，而是让他们的思维处于一片混乱，甚至让他们背诵一堆课文，这只会妨碍他们的成长，妨碍孩子们自己做决定，那么，他们的意志就无论如何也不可能得到发展。采取这种方式的教师还在为自己辩解："孩子不应该有自己的意志。"她们在发表这种言论时倒是诚实的，因为她们在教育孩子时,从来就没有考虑过孩子们内心提出的"我想要"这种要求。

这种教育的后果是不堪设想的,她们实际上是在阻碍孩子初期意志的发展。这种氛围让孩子们感受到一种控制他们行为的力量,使他们变得胆小,以致在没有他们所依赖之人的帮助和同意时,连承担任何责任的勇气都没有。

有一次,一位女士故意问一个本来知道樱桃是红颜色的孩子:"樱桃是什么颜色的?"她没想到的是,这一问让这位胆小的孩子感到十分紧张,他犹豫惶恐地不知如何回答为好,最后只得喃喃地说:"我去问问老师。"

为一个人做决定而准备的意志机能是人身上最重要的机能。它极具价值,必须要将它建立起来,并使之得到不断强化。病理学揭示出,它与意志的其他因素有很大不同,它是支撑人格的支柱。在心理病态症中有一种所谓的"怀疑癖"。这种怀疑癖的一个明显症状是不能做决定,并伴有一种严重的苦恼状态。

我在一家专治神经错乱的医院里遇到过一个患有"怀疑癖"的典型病例。这个病人平时到处去收集垃圾桶,他唯恐什么有用的东西偶尔掉进垃圾桶里,甚至在他准备带着垃圾离去时,还会重新爬上楼梯,挨家挨户地敲门,问他们的垃圾桶里是否有值钱的东西,直至他确信没有了后才离开。而且这样折腾一遍还没完,过了一会儿他又回来了,再一次挨家挨户地敲门问一遍,如此循环往复。在绝望中他只好向医生求救,看看是否有能够增强他意志力的办法。

为此,我们也便一遍又一遍地告诉他,垃圾桶里没有值钱的东西,他完全可以放心,尽可以去继续干他的事好了。他听了这些话后,眼里闪耀着充满希望的火花,并在口里反复念叨着"我可以放心了!"走了出去。可是,过了一会儿,他居然又回来了,仍然带着疑惑地问道:"我真的可以放心了?"我们也便再一次地告诉他:"是的,你真的可以放心了。"这一次是他的妻子把他带走的。我们朝窗外看去,发现他在大街上站立着,还在和他的妻子拉扯着,焦躁不安地再次跑了回来。他第三次站在了我们的门口,还是不放心地问道:"我真的可以放宽心了么?"

实际上,我们正常人的头脑里也隐含有这种癖症的因子。例如,一个人在出门时,当他锁上门后,还会将锁把摇几下,而且在他走了几步后又会回过头来,还是怀疑门没锁上,尽管他知道门是锁上了的,并且清楚地记得他还摇过门的。但是,就是一种不可抑制的冲动迫使他回过头来,看看门是否真的被锁上了。

这种情形在一些孩子身上也能发现。比如,他们在上床睡觉以前,总喜欢朝床底下看看,是否有猫啊,狗啊之类的动物。其结果,他们什么也没看见。事实上他们心里也明白,其实下面什么也没有。

尽管如此,过了一会儿,他们还会又爬起来,往床底下看看有什么东西。这类细菌会像淋巴腺里的结核杆菌一样到处蔓延,使整个机体处于十分虚弱的状态。对于这种危害,我们也许可以掩盖一段时间,就像苍白的脸色可以靠胭脂掩盖一段时间,不为人所知,也没有任何忧虑一样,但是,久而久之,它就会侵入机体的各个部位,让你病入膏肓。

如果要让意志在身体有效地完成任务时体现它的价值,我们就应该对意识进行必要的训练。训练对于培养我们行为的精确性是十分必要的。我们知道,没有进行基本功的训练,我们就无法跳舞;没有进行手的动作训练,我们就无法弹奏钢琴。但这些基本的动作协调运动和理解力培养必须从婴儿期就开始。在纯粹的生理作用中,我们的随意肌并不是在用相同的方式进行着运动,而是采取了两种完全不同的方式。

例如,有的肌肉用来使胳膊伸展,有的肌肉则用来将它收回;有的用来蹲下,有的则使你站直。由此可见,它们所采取的行动往往具有对抗性。身体所展现的每一动作都是这些具有对抗性的肌肉相互合作的结果。在肌肉运动中,一会儿是这块肌肉,一会儿是另一块肌肉,它们通过合作产生作用。

正是通过它们之间的这种合作,使我们能够完成最了不起的动作,即那种刚劲有力、优美大方、雅致舒展的动作;使我们不仅具有高雅的身体姿态,而且还能够创造出与音乐旋律相匹配的动作。

为了使这些具有对抗性的动作能够相互默契配合,就必须进行动作方面的训练。要注意的是,当我们在对动作进行训练时,一定要在具备自然的动作协调之后才能进行。在这之后我们还可以进行运动和舞蹈等方面的特殊动作训练。假若你想使自己的动作协调起来，你自己就必须对这些动作进行不断的训练。不论它是优雅大方、身轻如燕的动作，还是富有生命力的动作，你作为当事人都必须不断地进行训练。

在这里，意志理所当然会起作用，比如你是希望自己致力于运动、舞蹈、防身术或参加比赛，等等。因为运动总是随意的，不论是最初为"肌肉协调"而进行的运动，还是后来所设计或创造出的更高级的协调技巧。简而言之，意志就像一名指挥员一样，在指挥着一支组织严密、纪律过硬、技术精良的部队。

为了培养孩子的能动性，任何人都不会让他完全处于静止不动的状态，更不会用胶布粘住他的四肢，造成其肌肉萎缩，甚至濒于瘫痪。但是，我们也不能只是向孩子讲述一些有关小丑、杂技演员、拳击冠军和摔跤运动员的精彩故事来刺激他，以在他的心中激起模仿他们的强烈愿望。显然，这是一种不可思议的荒诞行为。

不仅如此，我们还做着更为荒诞的事情。为了培养孩子的"意志"，我们行为的结果往往适得其反，或者试图使之消除，或者将其"扼杀"，这样势必妨碍孩子意志的发展。我们总是用自己的意志代替孩子的意志。我们还按照自己的意志，或让孩子静止不动，或让他不断走动。我们还为他作选择，为他做主。到了这一步，我们就心满意足了，还充满教训口吻地说："意志就是行动。"除此之外，我们还以寓言的形式向他们灌输一些英雄人物和意志坚强的巨人的故事，以为只要让他们仿效这些人的行为，他们就会产生强烈的竞争意识，就会创造奇迹。

在我上小学一年级的时候，遇上过一位非常爱我们的"好"老师。她嘱咐我们在位子上一动不动地坐着，她自己已经累得脸色苍白，精疲力竭，却还在对我们讲个不停。为了激励我们，她要我们尽力去模仿那些杰出的女性，特别是"女英雄"，并要求我们牢记这些人的生平。为了教导我们出人头地，她要求我们阅读大量的名人传记，从而使我们觉得，当女英雄并不是不可及的，因为这个世界上的女英雄也如此之多。她所付出的所有努力无非是要告诫我们："你也应该努力出名！""难道你不想出名吗？"当有一天有人这样问我时，"哦，不！"我冷冰冰地回答道："我决不这样去做。我关心孩子们的将来胜于一切,我决不会再把其他人的传记列入课程表。"

来自世界各地参加教育、心理国际会议的教育学家曾发出了如下共同的悲叹:年轻人"缺少个性"已构成对人类的极大威胁。但以我们的观点,现在的问题并非人类缺少个性,而是学校摧残了孩子的身体,削弱了他们的意志,现在需要的是采取解放他们的行动。这样,人们身上潜在的力量就能得到发展。

一个更高层次的问题是,我们应如何利用我们的坚强意志。它只能依赖于:意志已得到发展,已变得坚强。有一个经常用来教育孩子们崇尚意志力量的例子。维托里奥·阿尔费里到了晚年仍坚持自学,用极大的毅力克服了学习初期的单调乏味。他尽管当时已进入社会名流的行列,仍然着力学习拉丁语,并一直坚持下来,成为享誉世界的文学家,而且还靠着他的热忱与天赋,成为最伟大的诗人之一。在谈到他是如何实现这一转变的时,他有一句名言经常在意大利被教师引用:"我坚持,不断地坚持,全力以赴地坚持。"

在维托里奥·阿尔费里做出使自己的人生发生转变的重大"决定"之前,他只不过是一位在社交界以任性出名的贵妇人的玩物。他意识到,如果自己继续充当别人感情的奴隶,就会毁了自己。这种内在的冲动正激发着他想提高自己。

但是,正当他感到自己本可以成为一名伟大的人物,那无限的潜在力量便充满全身时;正当他准备利用这些力量,听从它们的召唤,将自己的一生交付给它们时,那位夫人差人送来的香气溢人的短柬又把他拉回到了戏院的包厢里,和她厮混在一起,白白地浪费掉了晚上的大好时光。他可以说出师不利,在他刚下决心时,这位夫人的吸引力就战胜了他用于抵御这种诱惑的意志力。但是,当他在戏院里观看那些无聊透顶的戏时,他感到极为愤怒,也觉得十分苦恼,这段时间给他造成了剧烈的痛苦,他最后居然对身边这位迷人的夫人顿生憎恨之感。

于是,他决定采取具体行动,即在他们之间设立一道不可逾越的障碍。他毅然把代表他高贵出身的装饰——粗发辫剪掉。没有了发辫,他便羞于出门了。然后他又用绳子把自己捆在椅子上。尽管他坐在椅子上心神不定,几乎连一行字也看不下去,尽管他多么想到他的心上人那儿去,但由于他的身子已不能动弹,头上又没有了发辫,他也只好静静地呆在屋子里。

他正是靠着那句名言"坚持,不断地坚持,全力以赴地坚持",才使自己获得了自由,并将自己从无所作为和毁灭沉沦的深渊拯救出来,成为一位名垂千古的伟人。

我们通过意志的教育,希望带给孩子们的正是这样的东西。我们希望他们把自己从使人类堕落的虚荣心中拯救出来,专心致志,使内心生活充实,引导他们从事伟大的事业,为使自己成为一位伟人而奋斗。

要注意的是,我们这种充满爱的热情与希望,往往容易使我们将孩子置于我们的庇护之下,这样并不利于他的成长。我们要问的是,孩子们难道就没有拯救自己的能力吗?有的!孩子们用整个心灵爱着我们,用他那小小的心灵所能包容的热情感染着我们,不仅如此,他们自身还有一种能够控制自己内心生活的东西:这就是他具有自我发展的潜能。

正是这种潜能,会引导他去触摸某种东西,去熟悉它。而我们对他做了什么呢?我们却对他说:"别碰!"他到处跑动着,其目的是为了能够走得更加稳当,我们却对他吼道:"别跑!"他向我们问问题,本来是为了获得知识,我们却很不耐烦地回绝他:"别烦人!"像阿尔费里在戏院的包厢里对待他那可爱的夫人一样,我们只是把他放在身边看管着,要他听话,给他几件他毫无兴趣的玩具。也正如他在感到无聊后所想的一样:为什么我深爱的人想毁了我;她为什么要用任性来使我痛苦?难道仅仅因为我爱她?!

因此,孩子们若要拯救自己,就必须具有像维托里奥·阿尔费里一样坚强的心灵,但是,孩子们常常不能。我们往往发现不了孩子成了牺牲品,也意识不到我们在毁他。我们用命令和手头拥有的无限权力,要求他这样做,那样做。我们一方面热切期待孩子长大成人,另一方面却又不让孩子成长。

也许许多父母在读维托里奥·阿尔费里的故事时会这样想,他们的儿子会更有出息,因为他们的儿子不需要自我设置那些障碍(像剪头发,或把自己用绳子捆在椅子上等)去抵制诱惑。他们希望靠一种精神上的力量来抵制这种诱惑。那位富于幻想的父亲绝不会问自己:为了让儿子变得坚强,为了使他达到所谓更高的精神境界,他都做了些什么。他很可能就是那个摧残儿子的意志、使儿子完全顺从他的意志的人。

世上没有哪位父亲能达到这样的高度。我呼吁,天下的父母和教育工作者们,你们的任务主要是保护和指导儿童的能力,不能阻碍其发展。

# PART 19

# 智力与孩子自由

孩子的发育与成长过程已给予我们活生生的启发，那就是，"智力"的发育是揭示他们成长秘密的关键，是培养他们内心世界的方法。当智力被视为培养孩子的重要方面，甚至是他们生活的支柱时，人们就不会再让它盲目地耗散，或不分青红皂白就将其压抑和禁锢了。

——玛利亚·蒙台梭利

**对**儿童的教育必须使他们的机体处于运动之中,这是实现儿童自由的"关键"。

那些怀着某种"智力目的""能四处自由走动"的儿童,才能使自己得到不断完善,他们也必然"能自由地发展自己的内在人格"。只有那些在某种智力目的的支持和指引下工作的儿童,才会做到持之以恒。如果儿童没有这种智力目的,也没有对工作的持之以恒,他就不可能有良好的内部发育,也不可能取得明显的进步。当我们慢慢克制自己,不再对孩子指手画脚时;当我们把孩子从我们的个人影响中解放出来,将他放在适合于他发展的环境时,他就会对"自己的智力"信心倍增!在此基础上,他将会自发地从事一些具体活动:洗手洗脸,换外套,打扫房间,掸去家具的灰尘,铺地毯,摆桌子,栽种植物,看管动物,等等。他会受感官材料所吸引或在其指导下,自主选择有助于自己发展的工作,正是这类感官材料使他们能对事物加以区分,可以进行选择与推理,并使自我得到改进。在选定要从事的工作后,他会坚持不懈地去做。这一转变不仅能使其内在不断成长,而且还会成为他继续前进的一种强大推动力量。在这种环境下,他会将自己的工作从简单的实物逐渐过渡到复杂的实物,并使自己的身心得到陶冶。他正是根据自己大脑里形成的内在秩序和所获得的技能来培养自己的性格的。

我们讲让孩子自我发展,指的是让他的智力得到发展,并不是如大家普遍认为的把他交给"本能"。"本能"是指跟动物一样所具有的那种最原始的东西。我们总是习惯于把孩子当作狗或家畜一样对待,就是源于此。在这种错误观念的误导下,当我们议论一个"自由的孩子"时,总难免让我们想到他就像一条汪汪叫、蹦蹦跳跳和四处偷吃东西的小狗一样。为此,人们已习惯于把孩子的反抗、抗议与挣扎以及他们为使自己摆脱屈辱的境遇所发明的保护手段视为本能的表现,并认为他们的这些行为就如兽类一样野蛮。但我们没想想我们对孩子都做了些什么!我们起初把他们比做植物和花朵,等他们稍大些后,又设法使他们像植物一样安静,尽量使他们的感官像植物的感官一样,迫使他们成为我们的奴隶,任凭我们处置和摆布。我们这样对待他们,他们怎么可能成为一株我们所希望的"带着天使般花香的植物"呢?!这样只会使他身上的"人类本性"不断泯灭,直至死亡,人性一步步退化的痕迹将在他身上显露无遗。

相反,如果我们让孩子成为智力活动的主体,情形就会完全改观。

为了把孩子培养成为高度自觉自主地从事智力活动的人,我们就必须赋予"自由"以新的概念。

我坚信,智力是解决人的社会自由问题的关键。遗憾的是,近年来,我们的社会被一种只要求解决"思想自由"的偏见搞得混乱不堪。这与目前流行的"对孩子自由"的曲解有类似之处,有人认为,人类只有"退回"到自己最原始的自由思想,才能得到"解放"。可问题是,他能够这样去"自由思想"吗?这种所谓的"自由"时代不就是一个大脑神经衰退的时代吗?不就是等于将社会权利交给文盲吗?

举例来说,如果我们让一个病人在健康和疾病之间做出选择,他能有多大的自由选择度呢?如果我们让一个未受过教育的农民在有利可图的投资和无利可图的投资之间做出选择,他会"自由"选择哪一种呢?如果他选中后一种投资,他就是"自由"地被骗了;如果他选择前一种投资,他也不是因为有了自由选择权而选中的它,那也只是幸运而已。只有当他有了足够的知识能区分有利可图的投资和无利可图的投资时,他才真正称得上自由了。只有在他形成这种"内在力量"后,才能使他真正自由,如果只是简单地凭借外部的"社会约束力"是不能达到目的的。如果人的自由只是一种释放本能的简单自由,那就好办了,我们只需颁布一道法令:让瞎子能看见东西,让聋子能听到声音,让这些"可怜的人"回到健康状态,那不就一切都解决了!但事实是这样的吗?

我坚信,人们总有一天会认识到:人的最基本权利,就是自我

"培养"的权利。只有到了这一步,我们作为一个人才不会受压抑,不受奴役,并能在所处的环境中自由地选择自身发展的方法。总之,我们只有接受教育,才能找到与"个性"相关联的解决社会问题的基本方法。

孩子的发育与成长过程已给予了我们活生生的启发,那就是,"智力"的发育是揭示他们成长秘密的关键,是培养他们内心世界的方法。

有了这种认识后,智力卫生学就显得非常重要了。当智力被视为培养孩子的重要方面,甚至是他们生活的支柱时,人们就不会再让它盲目地耗散,或不分青红皂白就将其压抑和禁锢了。

我们现在往往对孩子的身体以及附属于身体的部分,如牙齿、指甲、头发等等过于操心,但我相信,在不远的将来,儿童的智力一定会被人们更明确地认识和更慎重地对待。当然,我们十分明了,通往文明的路也是十分漫长的。

何谓智力?我们先不打算上升到哲学的高度来探讨其定义,而是想思考一下促使心智形成的映像、联想或再创造活动的总和,并将这种心智与环境联系起来。按照贝恩的理论,对"差异"的感知是智力活动的开始,头脑发展的第一步就是对"差异"加以鉴别。"感觉"是对外部世界的知觉基础,收集材料并将这些材料加以区别就是形成智力的最初过程。

我们有必要对智力加以尽量精确、清晰的分析。

展现在我们面前的作为智力发展标记的第一个特征跟时间有关。大多数人认为,"快"就是聪明的同义词。对某一刺激迅即作出反应,联想快捷,判断神速,这些就是智力最明显的外在表现。是什么使一个人做出这种"迅速"反应的呢?它无疑与从外界接收信息、精心编织意象以及将内心思考的答案表达出来的能力有关。对于这种能力,可以用一套类似于心理"体操"的系统来加以训练,以促其发展。这一系统的操作办法是:通过收集大量的感觉材料,让它们彼此间建立相互联系,并以此作出判断,经过一段时间,他就可以养成自由展示这些东西的习惯了。为此,心理学家们建议,应该使行为隧道和联想隧道更加具有渗透性,使"反应期"更短一些。在促进智力发展的肌肉运动中,动作的表现不仅要更加完善,而且还要更加迅捷。我们所说的聪颖的孩子不仅指他能对事物加以理解，而且是指他能对之加以迅速理解。如果某人学同样的东西要比别人花更长的时间，他的反应就迟钝些。人们喜欢用"什么都逃不过他的眼睛"来议论那些"反应敏捷"的孩子，确实如此，他的注意力总是高度集中，时刻都准备接受各种各样的刺激，就像那灵敏度极高的天平对轻微的重量变化都能做出反应一样，敏感的大脑也能对哪怕有一丁点吸引力的东西作出反应。这种孩子的联想也同样十分迅捷，我们也常常用"他一眨眼就懂了"来形容他们在这方面的能力。

感官练习能够激发并加强孩子们的主要活动。我们可以让孩子的感官与刺激物适当分离，以使他的意识有清楚的知觉；我们可以让他敏锐地觉察到热与冷、粗糙与光滑、重与轻、声音与噪音的差别；我们可以让他在万籁俱寂的气氛下闭上双眼，等待一种细纯声音的召唤……所有这些练习的目的是，让他感到外部世界好像在叩响他的心扉之门，唤醒他的心灵活动。以我们的经验，当各种感觉与环境相融合时，这两者就能产生和谐的相互作用，并能加强已被唤醒的活动。这个问题可以用下面的例子加以说明：一个正在专心致志地给图案上色的孩子，当有音乐陪伴他时，他会选用最美丽的色彩来着色；当一个孩子身处优雅怡人的校园，并有赏心悦目的鲜花环抱他时，他会吊起最美妙的嗓子来引吭高歌。

儿童的自我教育一旦开始，他们将表现出如下特征：他们的反应将变得更加迅速，更有准备，昔日那些从他们身边溜过丝毫未引起他注意或只是产生一点点兴趣的感官刺激物，今天却能被他们强烈地感知到。同时，他们能很轻而易举地发现物与物之间的关系，这样在他们运用这些东西时，一旦出现差错，就能及时发现，并对此迅速作出判断，予以纠正。正是经由这种感官体操，儿童完成了自己原始而基本的智力训练，唤醒了他的中枢神经机体，并使之处于运动之中。

当我们看到这些反应敏捷、生气勃勃的孩子对最轻微的感召都表现敏感，随时随地都准备朝我们飞快地跑来，以及对所遇到的东西都表现出集中的注意力时，我们就会不自觉地将他们与那些普通学校里表现迟钝的孩子相比，那里的孩子往往动作迟缓，对刺激物反应冷淡,缺乏自发联想的能力。当我们在作这种比较时,就会自然拿今天的文明与旧时的文明相比。比如,今天的社会环境与昔日相比要显得更加舒适;马车曾经是主要的交通工具,现在我们则开始坐汽车或飞机旅行了,这样我们就比过去更节约时间了;我们原来的交流媒介是靠鸿雁传书,今天我们则主要通过电话交谈;在敌对行动中,古人一般是一对一地相互残杀,而今天则往往成为危及成千上万人的大屠杀。所有这些使我们觉得,我们"文明"的进化并不是建立在"对生命的珍惜"或"对灵魂的珍惜"这一基础之上,而是建立在"对时间的珍惜"之上的。我们确实从外部感觉到了文明的发展,机器无疑开动得更快了,经济发展得也更快了。

然而,人类自身却没有跟上文明发展的脚步,个人还未能井然有序地促进自我的发展。在这个复杂多变的环境中,孩子们还不能随时应对所面临的各种事件,还不能充分利用人类在外部环境上的进步来为自己服务。尽管我们已进入了一个文明社会,但是我们的灵魂却一直在被欺骗,被压抑!

如果人类不起来改造自己,使自己与所创造的这个新世界和谐相处,那么,人类有朝一日就会被这个新世界压得粉碎,甚至摧毁。

孩子对这个世界所作出的反应不仅仅表现为思维快捷和聪颖的外表,它不仅仅与训练有关,而且也与建立相应的内在秩序有关,对所熟悉的工作进行有组织的、条理清晰的、层次分明的再安排本身更能说明智力的形成过程。

总之,秩序是一个人能作出迅速反应的真正关键。一个思维混乱的大脑是很难对某一知觉对象有一个正确认识的,它并不比写一篇推理性论文容易。无论是一个社会也好,一个具体的人也好,正是组织和秩序才使其迅速发展成为可能。

# PART 20

# 智力发育的特征

智力及其独特的逻辑思维和辨别能力足以区分
和抽象出事物的重要特征。智力正是在这些特征的基础上
继续前进，建立起了自己的内部结构。

——玛利亚·蒙台梭利

智力的重要特征之一是"能区分"。从工作来讲,区分就是对身边的事情作安排;在生活中,区分就是为"创造"做准备,而创造则要在秩序中进行。我们是在《创世纪》中找到这个概念的。在没有准备的情况下,上帝是不会开始创造的,而他所作的准备工作就是在混乱中建立秩序。"上帝将光明与黑暗分开,然后说,让江水汇集在一起,让陆地出现。"意识中拥有的内容可能十分丰富多样,但是,如果一个人的思维处于混乱之中,他的智力活动就会处于停滞状态。智力的闪现就像点亮一盏明灯一样:"让世界充满光明吧!"它能让你在这个世界上明辨是非,认清事物的本来面目。因此,我们可以大胆地说,促进一个人的智力发展就是帮助他把意识中的意象进行有条不紊的分门别类。

让我们回想一下一个3岁的小孩在面对这个世界时的真实状态吧。他因一下子看到了那么多的东西,而让他感到眼花缭乱,精疲力竭,昏昏欲睡。问题是,他身边的人不会想到,还有走路这样的实际工作需要他去完成,他们也不会想到,在他的器官还没有协调发展之前,必须要经常纠正他在感官方面所犯的错误。因此,在万般无奈的情况下,这个被过多刺激物压迫的小孩,就只好采取哭闹或入睡来应对了。

3岁小孩的思想异常混乱。他如同一个收藏了大量书籍的人,乱七八糟地把这些书堆起来,感到纳闷:"这些书我怎么办?"他什么时候能够把这些书放整齐,并骄傲地说"我拥有一座图书馆"呢?

通过所谓的"感觉练习",我们使孩子能够区分和分类。实际上,我们的感觉材料分析和描述了事物的属性:大小、形状、颜色、表面光滑或粗糙、重量、温度、味道、噪音和声音。重要的是物质的性质,而不是物质本身,虽然这些相互分离的性质本身由物质代表。我们能找到一系列同样数目的对应"物"来描述长、短、厚、薄、大、小、红、黄、绿、热、冷、重、轻、粗糙、光滑、香、噪音以及洪亮等特性。这种分级对于秩序的建立非常重要。实际上,事物的特性不仅有质的差别,而且也有量的差异。它们也许高一点或低一点,厚一点或薄一点;声音有不同的调;颜色有不同的强度;形状也许在不同的程度上有相似之处;而粗糙和光滑也完全不是绝对的。

感觉教育的材料应达到区分事物的目的。首先,它应该使孩子通过大量的比较和分析练习确定两个刺激物的特征。接着,当课文将儿童的注意力指向一系列外部事物:光明、黑暗、长和短时,差异便被感知到了。

最后, 他开始区分不同特征的差异程度, 依次排列一系列物质,比如表明同一半音符的不同程度的表格,发出八个调的铃铛以及能以小数表现长度或以厘米表现厚度的东西。

这些对孩子具有巨大的吸引力的练习跟我们目睹的一样,被孩子们不断地重复着。教师在每个得到的东西上面贴上一个字。这样就完整了,最后便有了一个表格:能根据名字想起特征和意象的表格。

我们现在除了凭物质的特征区分事物外, 没有其他的切实可行的办法。因此,对这些物质的分类就需要涉及每件事的基本的安排顺序。从此,世界对孩子就不再混乱不堪了。他的思维便有点像图书馆或收藏丰富的博物馆里井井有条的架子,东西都各归其类,各就其位。他学到的知识不再仅仅被"贮藏起来",而是得到了适当的"分类"。这种基本的顺序绝不会被打乱,而只会用新的材料加以丰富。

因此,孩子在获得区分事物的能力之后便奠定了智力的基础。儿童从此"认识了"周围的事物。当他欣喜地发现天空是蓝色的,手是光滑的,窗子是长方形的时候,他实际上并没有发现天空,也没有发现手,也没有发现窗子,只是发现了它们在大脑顺序中的位置而已。这就决定了内心个性的稳定平衡。这种稳定平衡如同协调官能的肌肉、使身体保持平衡、获得推进各种运动的稳定和安全一样,带来了镇定与力量,提供了进行新的尝试的可能性。一座安排得井然有序的博物馆为查找的人节约时间和精力,这种秩序有助于节约时间和精力。这样,孩子就能完成更多的工作而不感到疲倦,就能在更短的时间内对刺激作出反应。

在头脑中已经建立的牢固秩序的基础上将外部事物加以区分,归类和编排,这既是智力的表现,同时也是对自己精神的陶冶。一个受过教育的人如果能够凭作者的文风辨别出作者,或能够辨别出某一时期的文学作品的特征,我们就可以断定他"精通文学"了。同样,如果某人凭某画家用颜料的方式能够判断出画家,或从浅浮雕的片断判断出雕刻家的年代,我们便可以说他"精通艺术"了。科学家也属于这一类型,他们能够观察事物,能够最详尽地、恰当地评价这些事物的价值,这样,事物特征之间的差别就得到了清楚的感知和归类。

科学家根据他井然有序的思维来区分事物。秧苗、微生物、动物或动物残骸对他们都不是什么谜,虽然这些东西本身对他们可能是陌生的,化学家、物理学家、地质学家和考古学家也一样。

造就文人、科学家和鉴赏家的并不是事物的一种直接知识的积累,而是建立在头脑中的知识体系。相反,未受过教育而对事物只有直接经验的人,他也许是一个秉烛夜读的太太,也许是一个终生在花园里对植物进行实际区分的园丁。这些没有受过教育的人的经验不仅混乱无序,而且还只限于直接接触的事物之中。科学家的知识是无限的,因为他们具有将事物的特性分门别类的能力,能够识别所有这些物质并随时确定其类别、相互间的关系和各自的起源,于是他也就能发现远比实物更深刻的事实。

今天,我们的孩子像艺术鉴赏家和科学家那样凭特征对外界事物加以辨别和归纳。他们对一切都敏感,一切东西对他们都具有价值。相反,无知的人从艺术品旁经过或听到古典音乐,却不能欣赏。没有受过教育的孩子对一切都无动于衷。

现在的一般教学法和我们常用的教学法恰恰背道而驰。这些教学法首先排除了自发性活动,将事物和事物的特征一起直接介绍给儿童,要求他们注意各个特征,希望他们勿需指导和顺序就能自己抽象出这些特征。这样,这些教学法就在被实验者的身上人为地制造了一种比大自然的混乱现象更加缺乏创见的混乱状态。

现在通用的"直观"教学法展示出某物并记下该物的所有特征,即把该物描述出来。这种教学法并不是什么新花样,而只是司空见惯的"感官"记忆法的翻版罢了,不同的是,它不是描述某一想象的东西,而是描述眼前的东西;不是凭想象来描述,感官也参加了这项活动。这样做的目的是为了使某物与它物不同的表征能更好地被记住。被动的大脑只限于接收眼前的事物和杂乱无序的表象。实际上,每一事物的特征都可能是无限的:像在实物课中,如果实物自身从头至尾的目的都包括在这些特征之中,那么,大脑就必须对此进行综合思考。比如,上关于咖啡的直观课时(我曾在一所幼儿园听过这样的课),教师对咖啡加以描绘,将孩子们的注意力集中在咖啡豆的大小、颜色、形状、芳香、味道和温度上。如果教师再继续描述咖啡树以及先辈们怎样漂洋过海把咖啡豆运到欧洲,最后点燃酒精灯,煮开水,磨咖啡豆,制作咖啡饮料,学生就会被弄得不知所云,而咖啡本身却没有得到详细的讨论。我们还可以继续描述咖啡的兴奋作用,从咖啡籽中提取咖啡因,等等。这样的分析像溢出的油一样四处蔓延,不起任何作用。如果我们问被这样指导出来的孩子:"咖啡到底是什么?"他很可能会这样回答:"说起来话长,我记不起来了。"这样模糊的概念充塞孩子的大脑,只会使它精疲力竭,根本无法让它进行积极的类似的联想。孩子所作的努力顶多是回忆咖啡的历史。他的头脑如果能形成联想,这些联想也只能是相近的次要的联想:他就会心不在焉,而去想象被横渡的海洋、想象家里每天放咖啡的桌子。换言之,当他的思想"允许它自己"脱离连续被动的联想时,就会像懒散的头脑一样,处于胡思乱想之中。

这种孩子往往沉湎于幻想中,没有内在思维活动的迹象,更谈不上什么个性差异了。适应直观教学法的孩子,他的头脑总是容易接受各种各样的新观念,或者成为不断装进新东西的仓库。

如果让孩子像观众那样以静观的方法形成对某一事物的表象,再试图让他去认识事物的本质,而不让参与对于这一事物的任何活动,那么,在这个孩子的头脑中将不会把这一事物与其他事物联系起来并加以思考:它们之间有什么共同的特征或相似之处?是否有相同的用途?

我们在凭借相似性联想不同物质的意象时,应当从总体中抽取这些物质所共有的特性。比如,我们如果说两个长方形的區相似,我们已先从匾的众多特性中抽取出诸如它们都是木制的、都经过推刨、都是光滑的、都着了色、都具有同样的温度以及其形状相似等等方面的特性。这可能使人想起一连串的物质:桌面、窗子,等等。但是,在得出这样的结果前,大脑应该能够从这些物质的众多特征中抽象出长方形的特征。大脑必须活泼,它分析事物,从事物中提取出某种特性,并在这种特性的指导下用同样的连接媒介综合众多的事物。如果不能从众多相关的事物特征中选取其固有的特征,那么,通过比较、综合产生联想和更高的智力活动都是不可能的。联想实际上是一种智力活动,因为智力的根本特性并不是"拍摄"物象,然后像相簿一样将它们"一页一页"地保存起来,或像铺路石一样,一个挨一个并排着。像这样贮藏劳动的方式简直是一种对智力的糟蹋。

智力及其独特的逻辑思维和辨别能力足以区分和抽象出事物的重要特征。智力正是在这些特征的基础上继续前进,建立起了自己的内部结构。

现在,我们的孩子的思维在他们所接受的教学法的帮助下,已在事物的特性的分类方面具有了条理性,他们不但要根据他们自己对事物特性的分析来观察它,而且还要区分相同、不同和相似。这一工作使他们能识别某一事物的不同特性。比如注意某些物体形状及颜色的相似对儿童并非难事,因为"形状"及其"颜色"已经被分成非常鲜明的类别。他们又根据这些"形状"、"颜色"等类似特征联想起一连串的物体。这是一种靠类似产生的联想,几乎是一种机械性的联想。也许我们的孩子会说:书是菱形的。如果他大脑中不是早有菱形,那么他得出这一结论是经过了一个极为复杂的思维过程的。因此,白纸上印上黑字,装订成册,孩子就会说:书是印有字的白纸。

个性的差异正是在这种积极的活动中才得以表现出来。吸引相似物体的特征是什么呢?为相似联想选出的主要特征又是什么呢?某一个孩子注意到窗帘是淡绿色的,而另一个孩子则注意到窗帘很轻;某一个孩子注意到手的白皙,而另一个孩子则注意到手的皮肤光滑。窗子在某一个孩子的眼里是长方形的,而在另一个孩子的眼里却是某种能欣赏蔚蓝天空的东西。孩子对主要特征的选择与他们内在的性格相一致,成为一种"自然选择"。

同样,科学家选择对他们的联想最有用的特征。某位人类学家也许会选择大脑的形状来区分不同的人种,而另一位人类学家或许会选择肤色——不管哪种方法都会殊途同归。也许每一位人类学家对人类的外部特征都有非常精确的知识,但是,重要的就在于要找出一个能够作为分类的基础的特征,即找出一个在其基础之上能够根据类似特征对众多的人进行分类的特征。纯粹实用的人会从功利的角度,而不是从科学的角度来审视人类:帽子制造商只会注意到头的大小,而不会注意人类的其他特征;演说家则只会从人类对口头语的感受角度来考虑人类。然而,选择是使我们将某种计划从含糊不清到实际步骤、从理想到现实转变的必不可少的基础。

世界上的一切事物都有它的特性或局限性。我们自己的心理感觉机制是建立在选择之上的。感官的作用是什么呢?难道它只对固定的一连串颤动做出反应,而对其他什么都不予以理睬吗?如此说来,眼睛就只限于看见光,耳朵就只能听见声音了。因此,在形成思维内容的过程中,第一步应该是经过必要的限制性选择,与此同时,思想还对感官可能的选择进一步加以限制,在内部选择活动的基础上,再形成某种具体选择。这样,注意力就被集中在特定的事物上,而不是在所有的事物上了,意志也就从众多的可能行动中选择了必须完成的行动。

# PART 21

# 选择是一种高级的智力活动

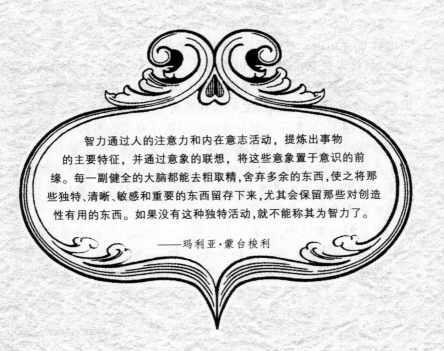

　　智力通过人的注意力和内在意志活动，提炼出事物的主要特征，并通过意象的联想，将这些意象置于意识的前缘。每一副健全的大脑都能去粗取精，舍弃多余的东西，使之将那些独特、清晰、敏感和重要的东西留存下来，尤其会保留那些对创造性有用的东西。如果没有这种独特活动，就不能称其为智力了。

——玛利亚·蒙台梭利

世界上的一切事物既有其特性,也有其局限性。我们人的心理感觉机制就是建立在选择之上的。在思维内容形成的过程中,第一步是经由感官对各种信息进行必要的和限制性的选择,然后思想再对感官所做出的选择加以进一步的限制。在以上内在选择活动的基础上,便形成了某种具体选择。就这样,他的注意力将能集中在特定的事物上,而非所有事物上,然后经过意志的活动,他便能从众多的可能行动中选择必须完成的行动。

高级的智力活动正是以上面所描述的方式进行的。智力通过人的注意力和内在意志活动,提炼出事物的主要特征,并通过意象的联想,将这些意象置于意识的前缘。它在这一过程中会抛弃大量导致事物之间前后关系含混的因素。每一副健全的大脑都能去粗取精,舍弃多余的东西,使之将那些独特的、清晰的、敏感的和重要的东西留存下来,尤其会保留那些对创造性有用的东西。如果没有这种独特的活动,智力就不能称其为智力了。当一个人的注意力正处于漂浮不定的状态,他的意志在确定某一行动时也是那样迟疑不决。如果一个人的注意力是如此分散,他就只能浮光掠影,对任何事情都不会深入钻研。

在我们的生活中,如果没有对我们所接收的信息施加限制,我们就无法认识事物。每一生物都有其"形式"和"范围",这正是世界一条最神秘的法则。我们的内在生活只是使这种限定更为明确、更为"集中",也正因如此,我们的内在生活才得以挣脱原始的混沌状态,使之得到不断雕琢和改造。

它是我们形成对一个事物的概念及对其进行判断和推理能力的基础。当我们在关注了圆柱体的许多特性之后,就能从中抽出最具真理的一条:圆柱体是一种支撑物。这个结论是建立在对它的各种特性进行选择之上的,即从圆柱体的其他许多特征,诸如它是坚硬的、酸钙组合而成的等等中提取出来的一个特性。只有具备了这种选择能力,我们才能进行推理。正如我们在前面曾讨论过的,意志力的培养,就是通过训练,使一个个体的内在冲动和抑制力达到平衡,直至形成习惯。同样,对于智力,个体也必须在外力的引导和帮助下,进行联想和选择的自我训练,直到他能对各种观点及选择加以限定,以培养出独具特色的"智力习惯",并通过这种内心活动,形成我们的个人倾向,即"天性"。

毫无疑问,理解和研究别人的推理与自己进行"推理"有着本质的区别。根据一个艺术家平时对颜色的兴趣、协调性和表现形式来研究他对外部世界的看法,与我们自己从某一点来观察外部世界,并在此基础上进行艺术创造,有着本质的区别。一个只是"学习别人的东西"的人,他的头脑中将只会储藏着诸如阿基米德难题的答案、拉斐尔的艺术作品、历史和地理知识,等等,他的大脑就像小贩篮子里摆放的旧衣服一样混乱不堪,毫无轻重主次之分。相反,同样的事物如果不是被放在一个狭小的篮子里,而是被摆放在一间井井有条、宽敞明亮的房屋里,它们就绝不会显得杂乱无章,混沌不堪。一副有条不紊的头脑肯定比一副将知识当作垃圾一样堆放的大脑能获取更多的东西。在这样的大脑中,就如在一间井然有序的房屋中一样,各种知识被分门别类、协调有序且用途分明。

同样如此,当别人想把他们对一件事的解释强加于我们时,这与我们自己主动去"理解"将完全不同。这一差别就如同一幅雕塑在松软的蜡上只能给留下短暂印象的作品与另一幅被艺术家雕刻在大理石上的艺术品之间的差别一样。一个主动去理解的人会感到自己的意识得到了解放,而且感到自己的身上有某种东西在闪闪发光。对于这类人来说,他们对事物的理解正是他们认识事物的开始,它有时会使我们的生活出现崭新的变化。我们可以说,在人的所有情感中,也许没有什么情感比智力情感更为丰富的了。一个对世界有所发现的人,他一定能享受到人类的最大乐趣。退而求其次,一个能对世界有所"理解"的人,也能比别人获得更为高尚的享受,他能够以此战胜世间许多痛苦和悲伤。确实如此,如果一个不幸的人能够冷静地弄清自己饱受折磨的原因,他就能获得解脱和拯救。他能在一片混沌不清的黑暗之中找到一线使自己获得安慰的智力之光，并使他在黑暗之中找到脱身的办法，比如一条狗就有可能在主人的坟前悲悯而死，而一位母亲则能在爱子的坟前坚强地活下去，这其间的差别就在于后者有理智的帮助，与人相比，狗就显得没有理智，它之所以死去，就因为智力之光没有照射进那个黑暗的王国，去消除它的悲伤。

正是智力活动使我们与世界之间建立起联系，使一颗深受创伤的心趋于平静。我们的这种感受不可能从一位教授的枯燥无味的课中得到，也不可能从背诵某位专家的理论中得到，因为他们对我们的苦难并不关心，只有可能从崇高的智力活动中得到。当我们说"理智一些"，或者说"力量来自于信仰"时，我们指的是应该让智力永远处于探索之中，让它去自由地完成培养和拯救我们灵魂的任务！

想想看，当我们真的能够通过智力的活动将我们从死亡的边缘拯救出来时，它将能给我们带来多大的快慰呀！

当我们说一个人"头脑开窍"时，是从它富有创造力的角度来看的。头脑开窍的过程也伴随着他对情感能给予更积极的理解。它属于精神的范畴。

我认识一位幼年丧母的女孩。她对老师在课堂上那枯燥无味的教学非常反感，几乎到了无法理解课堂知识、甚至想辍学的程度。实际上，正是这种缺乏母女情感的生活加重了她大脑的疲劳感。于是，她父亲带她到乡下去，让她在那儿过了一两年像野人一样的生活，然后再把她带回镇上，请了几位教授当家庭教师。然而，尽管经过了如此努力，这个孩子仍然处于被动疲倦的状态。她父亲对此感到万分焦急，经常问她："你的脑子开窍了吗？"孩子也对此感到无可奈何，总是回答："我不知道。"完全是一种偶然的巧合，他爸爸将这个女孩托付给了我，由我单独看护。我那时还是一名医学院的学生，便用我的教学法对她进行试验。有一天，我们正在一起学有机化学，她突然盯着我，两眼闪闪发亮，情不自禁地高喊："我开窍了，我理解了！"接着，她站起身来，边跑边叫："爸爸，爸爸，我的脑子开窍了！"她拉着父亲的手说："我现在可以告诉你这是什么意思了，我的脑子开窍了。"看到此情此景，我感到很吃惊，因为我当时并不知道这个孩子的历史。那位父亲和他的孩子当时那欢愉的情景令我十分感慨:由于我们的智力受到了压抑,我们在生活中失掉了多少乐趣和欢欣啊!

事实上,孩子智力上的每一进步都能给他带来欢乐。孩子们一旦享受到这种欢乐后,他们就不会再喜欢蜜饯、玩具,虚荣心也消退了。

正是这些变化,才使他们在旁人眼里显得了不起。

而且与我们常见的那种歇斯底里的傻乐相比,它是一种高层次的欢乐,一种有别于动物的欢乐,一种将我们从悲伤与黑暗的孤寂中拯救出来的欢乐。

如果有人对我们这种提高孩子欢乐层次的方法横加指责,那么受伤害的将是这些孩子,方法本身依然不变。他们之所以会有这样的指责,其核心就在于他们将孩子看成了牲畜,在他们心目中,孩子的"欢乐"也就只是满足于贪嘴、玩耍甚至其他更糟糕的事情。实际上,这些"欢乐"都不可能使孩子持续多久。只有当他感受到作为"人的欢乐"时,他才会像前面那位向他父亲宣布自己已从多年毫无活力的阴暗生活中走出来的女孩子一样,感到自己生活得是那么愉快。

我们从孩子身上所看到的这种"转折点",正是他们的智力的天才体现,也正是他们发现了某一"真理"之时!难道这不代表了一种自然的心理生活吗?难道这种天才的表现不就是一种"充满活力的人生"的表现吗?只有这样,一个人的人生才能通过自己独特的个性,揭示出人类的真正天性,使它免遭厄运。我们发现,孩子们积极塑造自己个性的道路与我们所熟知的天才们所走过的道路是相同的。他是那样的专心致志,全神贯注,这使他免受外界环境的干扰,而且其强度及持续的时间与精神活动的发展是一致的。正如天才们的努力一样,他们的这种专心致志也不会没有结果的。它是智力发展的源泉,是使思维能力得到尽快提高的源泉,同时也是表现在外的各种活动的源泉。

因此,在我们看来,天才就是将桎梏自己发展的锁链砸碎了的人,使自己享有自由的人,并在众人面前坚持他所认定的"人性标准"的人。

为了培养这种专注精神,一个人还必须学会"沉思"。我们有这样的体会,大量地、连续不断地读书,反而会削弱我们的思维能力。不断地重复背一首诗,直至将它牢牢地印在脑海里,所有这些都不是"沉思"。

背诵但丁的诗歌与静思赞美诗中的内涵完全是两码事。背诵但丁的诗可以"装饰"人的头脑,它顶多只能在脑子里留下一点印象,而对诗歌主体的深思则可以起到改造人和启发人的作用。深思能使你更有力量,心灵更健康,思维更加活跃。

在我们看来,培养孩子们天性的方法就是"沉思",因为没有其他更好的方法能使他如此持久地专心致志,并使内心逐渐成熟。一个有自己目标的孩子有一种强烈的内在生活需要,并会努力培养和发展它,使之成为习惯。他们就是在这种追求中不断地"成长",使自己的智力得到协调和发展。因此,当他们学会沉思时,他们就迈上了充满光明的进步之路。

正是在经受了沉思的锻炼之后,孩子们才会乐于"安静地练习"。接下来他们会努力做到在行动时不发出声响,显得举止优雅,他们就这样使自己陶醉于精神"集中"后所结的硕果之中。

这类练习也巩固和加强了他们的个性。孩子们会越来越习惯于用这种正确的方法去认识外部世界,并能自发地运用这种方法去观察、推理和判断,并用它来修正意识中的错误。从此,他们将能自发地活动,主动选择并持续自己的工作,从周围环境中获得专注力。他们都将按照自己的内在动力去活动,而不会受外界的任何干扰,包括教师和比他们年龄大的同伴的影响。即使有人恫吓这些刚被引入生活正途而仍然幼稚无知的学生,他们也不怕。

# PART 22

# 天才的秘密

天才有一种在意识上将事实分离出来，并把它与其他东西分别开来的能力。就如同在一间黑屋里，只有一束光会落到宝石上一样，天才就是那落在宝石上的一束光，他的思想会在意识领域产生巨大的革命，并为人类做出伟大、卓著的贡献！

——玛利亚·蒙台梭利

**我**经过多年的观察与实验发现,正是孩子们揭示了生活的普遍法则,这一法则过去只在少数精英那里才能找到,他们同时也揭示出社会对他们的无意识压抑。这种无意识的压抑使人类背上了沉重的负担,并使他们的内心生活受到伤害。我曾将这种感受告诉过一位有见识的女士,她对我的"理论"非常感兴趣,并希望我将它写成一篇富有哲理的文章发表。但是,她对我正在进行的实验的观点却不能接受。当我和她谈起孩子时,她就显得有些不耐烦了:"啊! 有关孩子的事我都懂。在智力上,他们是天才;在道德上,他们是天使。"我还是不死心,一再游说他到我们学校来看看,后来她终于同意成行了。在她参观完并和我们的孩子交流以后,她显得非常激动,抓住我的双手真诚地对我说:"赶快把它们写出来,立马拿去发表! 你想过没有,人说不定什么时候就死掉,你如果不抓紧做这件事,难道你想把这些发现带进坟墓?! "

她的心意我领了,不过谢天谢地,我的身体棒极了。

我们如果仔细研究那些天才们的脑力劳动,我们将发现,尽管他们的努力曾为我们开辟了新的思维方式,曾为我们的幸福和社会的进步带来了新的源泉,但我们同时必须承认,他们的这些劳动并不是什么让一般人望而却步的非凡工作。心理学家贝恩说:"天才们具有非常强的相似联想能力,这就是天才的最基本特点。"只要通过精确的观察和利用多数人都能从事的简单推理,我们才能有所发现。要有所发现,还必须对事实进行整理。不过,人与人的差别就在于,这类事实只能被发现者"发现",其他人却将其忽略了。

我们可以说,天才有一种在意识上将事实分离出来,并把它与其他东西分别开来的能力。就如同在一间黑屋里,只有一束光会落到宝石上一样,天才就是那落在宝石上的一束光,他的思想会在意识领域产生巨大的革命,并为人类做出伟大、卓著的贡献!

我们在这里要强调的是，决定天才做出惊人发现的是他们在同一领域对事实进行的分离，并非所发现的事物本身有多么独到的价值。进行矿产品开采的人知道，珍宝就隐藏于一堆看似不起眼的普通物质之中，它成天就堆放在那儿，却一直没有人注意到。与此类似，当真理被发现之后，许多人才大发感叹：这不就是我们早已熟知、一直为我们所用的道理吗?！实际上，在这里并非真理本身就一下子变得价值连城了，真正使其变得有价值的是那位认识了真理、并将真理付诸行动的人。

当然，新发现的真理并非早已存于人的大脑，它也是人们智力劳动的产物，而且有些真理还需要经过一些波折才会被社会所接受。

它刚开始往往被斥为奇谈怪论而遭受排斥，让一种"新颖"的观念进入人的大脑，总是需要一定的时间，需要智力的协调与配合。哥伦布提出："如果地球是圆的，那么当人从某一点出发，一直往前走，他就会回到原来出发的地方。"这就是他智力劳动的成果，并为人类发现了一片新大陆。也许有人会说，这块陆地正好位于哥伦布的航线内，他遇见的是一片陆地而非死亡，这只是他的幸运而已。但上帝有时就会给这种"带有灵性的推理"报以大大的奖赏。

当然，哥伦布能取得如此伟业，除了他卓尔不凡的智力劳动外，还有他的英雄胆略。他是在历尽千辛万苦才说服别人为他提供船只和随员，并帮助他完成伟业的，使哥伦布最终获得胜利的是他的信念。

伏特发现电的过程也很能说明问题。有一次他的妻子发高烧，于是伏特便按当时流行的治疗法为她配制了退热剂——带皮的青蛙汤。那是个雨天。当他将死青蛙挂在窗户的铁棒上时，立即发现青蛙的腮在收缩着。这位"伟大的发明家"马上做出了如下推论："死肌肉还能收缩，说明有外力在作用于它。"为了寻找这种外力，伏特通过大量实验，终于在地场中得到了电。这位"天才"这样一个简单的推论，给世界带来了电这样伟大的发明。

由此可见，对一个并不起眼的发现(如死肌肉能收缩)进行严谨而不带任何幻觉的思考，然后在此基础上，把精力集中在"它为什么会收缩"这样的问题上，这就是人类取得一项伟大成就所经历的过程。

伽利略的发现也与此类似。当他站在比萨教堂里时,看到了正在左右摆动的吊钟,并发现了钟摆摆动的时间是相同的。这一发现对人类是多么重要啊!钟摆是人类计算时间的开始,也是天文学家计算宇宙的开端。

牛顿发现万有引力的故事也是那么简单。当他发现苹果从树上掉下来时,便问自己:"苹果为什么要往下掉呢?"正是这一发问使他发现了物体重力理论,也使他开创了万有引力理论。

当我们研究瓦特的生平时,也感到惊叹不已。他既是一名物理学家,又是一位心理学家,还是一位数学家。英国和德国的大学都授予过他荣誉称号。一个对人类做出了如此卓越贡献并为自己赢得丰碑的伟大人物,只不过因为他发现了被开水蒸气推动的壶盖。"蒸汽的力量可以推动壶盖,也必定能够推动活塞,因此,它可以成为机器的动力。"一个小小的壶盖成了推动人类历史发展的魔杖,大大便利了人类的工作和旅行。

我们的大脑所遇到的阻碍越大,智慧之光被浪费得就越厉害,它的力量就会被大大地耗散,这不但会导致大脑推理"活动"的停滞,甚至会使它连事实都看不见。以生物学的一大发现为例。起初的生物学认为,血液循环系统为脉管的一个闭合系统,密封的上皮细胞不能被诸如植物微生物这样不锐利的固体所穿透,更不可能被圆形原生动物门这样比微生物松软的东西所穿透。这个虽已为众所周知的理论明显不能解释事实,学生们应该进一步追问:疟疾的原生动物门是怎样进到循环的血液中去的呢?然而,从希波克拉底、蒲林尼、塞尔夏斯,到伽林,人们一直认为这种热病是由沼泽地里的"有毒环境"从早到晚散发的恶劣空气造成的。而且在找到这种疟疾的真正病因之前几年,由于人们坚信桉树的放射物会过滤和杀死空气中的细菌,于是便栽种了大量的桉树。奇怪的是,怎么就没有人问:疟原虫怎么会从空气中进到处于循环的血液中呢?是什么麻痹了那些专门从事这项研究的人的智力呢?

直到罗斯发现人是在被某种特殊的蚊子叮咬后才患上疟疾时,局面才有所改观。人类在这方面的认识才向真理迈出了一大步:"如果鸟得疟疾是由某种蚊子的叮咬引起的,那么人类的疟疾也同样是由于蚊子的叮咬造成的。"

他们观察到,在疟疾流行地区,空气清新,土地肥沃,人们只要不被蚊子叮咬,他们就可以从早到晚在那儿呼吸清新的空气,身体便一直很健康。一些被贫血病折磨得脸青面瘦的农民只要有蚊帐来保护自己,就会保全性命,并恢复健康。但所有的聪明人在发现这一简明的事实后都惊呼道:以前我们为什么就没有发现呢?原生动物门不是一个众所周知的事实吗?大家不是都宣称循环系统是封闭的,是微生物不能穿过的吗?

让我们再列举一个错误更加明显的例子。早在希腊文明时期,人们凭经验判定:"石头是从天上降下来的"。在古老中国的编年史中也有陨石降落的记录。到了中世纪和近代,有关陨石降落的记载就更加频繁了。更为荒唐的是,1492 年降落的那颗陨星居然被马克西米连一世当作基督教世界对土耳其人发动战争的借口。从记录资料来看,最大一块陨石是 1751 年掉在亚格拉姆附近的那颗,重达 40 公斤左右,现被存放在维也纳矿物学博物馆里。一位德国大学者曾对此事大发感慨:"那些对自然历史一无所知的人,也许会相信铁会从天而降。然而,直到 1751 年,德国一些受过教育的人真的还在相信铁会从天而降呢!可见人们对于自然历史和自然物理是多么的忽略啊!"

1790 年,一颗重 10 公斤的陨石落在了法国西南部的塔斯肯尼地区。许多人都目睹了这一现象,还向巴黎科学院呈送了一份由 300 个目击者签名的官方报告。而科学院的回答却是:"收到这样一份关于如此荒诞不经之事的正式报告,真让人啼笑皆非。"

几年后,科学声学的奠基人契拉第里公开承认了这一现象,他相信陨石是存在的,可是,他却被诬为"对法则一无所知,是一个不考虑他的言行会对这个道德世界造成多大危害的人"。甚至有一位大学者咆哮道:"即使陨石从天上掉在我的脚下,我也不会相信。"

这种怀疑比圣托马斯的怀疑还要顽固。圣托马斯只是说:"除非我摸得着,我才相信。"摆在我们面前的明明是一块重达 10 公斤或 40 公斤的铁块,完全能够摸得着,可这位学者却说:"即使我摸得着,我也不相信。"

心理学很少讨论对事实麻木不仁的状况,我们在教学方法上更是如此。许多事实本已众所周知。譬如,如果没有内在注意力与之配合,刺激对于感官的召唤就只是枉然。将这样的实验进行无数次后进行加总,就成了我们常识的一部分。要让我们看见某一物质,首先必须将它摆在我们面前,同时我们还必须将意识集中于该物质上,也就是说,一种使我们接受刺激印象的内在过程是必不可少的。

这种情形在一个更加崇高、纯洁的精神领域也会发生。如果某人的思想没有意念相伴,事物就不能顺畅地进入意识之中,而无论其思想有多么的澎湃、猛烈甚或怪异都无济于事。在我们看来,意识不仅要处于自由状态,而且还必须充满"期待"。一个思想混乱的人是不可能在毫无准备的情况下接受突然来临的真理的。如果没有信念,不管事实是多么显著地摆在那儿,我们对它进行解释或阐述都只是枉然,是信念而非证据让心灵向真理敞开。如果一个人的内在活动不开门纳之,作为媒介的感觉就对此毫无办法。我们现在正处于一个实证主义的时代,一个人们对于那些没有亲手触摸到它就不相信它的存在的时代。因此,我们深深地感到:智力也像精神一样处于危机四伏的环境中,智力的作用也许被低估了,智力里面也许包含着矛盾或"错误",甚至还没有被人们感觉到。由于某个没有被注意到的错误,智力也许会导致人的神志昏迷或致命的心理失常。因此,像精神一样,智力也需要支持,否则它就会衰竭。它所需要的支持不是感官上的,而是需要得到不断地净化。好在卫生学家已在建议人们对身体进行"自我调理",为此,我们花了大量的时间去清洗、磨光指甲。我们建议,这一"自我调理"应当扩展到一个人的内部,因为这样就能保持身体的健康和完整。

"培养智力"的目的就是使智力免受疾病和死亡的威胁,当然,我们不能对智力的工作进行强迫,造成它精疲力竭,如果那样的话,我们就不是在培养智力。在这个神经混乱和疯人成群的时代,在我们身处一个自我标榜的健康人群中,鄙陋的习俗对人类健康与发展的威胁仍是触目惊心的。

为此,我们对孩子的关注应该是有节制的,我们不应该任意强迫他去学习,应该让智慧之光永远照亮他的心灵。

# PART 23

# 想象可以创造奇迹

在当今世界，所有人都应该接受科学方法的熏陶，应该让每个小孩都亲自参与实验、观察，使他们与现实紧密联系起来。这样，他们那想象的翅膀就可以从更高的基点起飞，他们的智能也能被很自然地引向创造之路。

——玛利亚·蒙台梭利

科学的创造性想象是以现实为基础的。如果早在一个世纪以前，我们就对那些坐在马车上赶路的人和那些使用油灯的人说：有朝一日，纽约市的夜间将会灯火辉煌；人在海洋中遇险时，他们能发出为陆地上的人所理解的求救信号；人可以在空中飞翔，而且比大鹰飞得还快……我们的先辈们一定会耻笑我们是痴人说梦。

也就是说，在当时的环境条件和人们的认知能力下，他们是无法想象出这些事情来的。现代人与古代人的最大差别就在于，我们现代人的想象是建立在实证科学基础上的，而我们的先人们却只能凭他们的幻想来预知世界。人类在认识上的这一进步，已大大改变了整个世界的面貌。

当我们的想象与现实结合时，我们的内在思想就开始工作了，并使外部世界发生改变，在这一过程中，人们的思想有如神助，它在一种伟大的力量——创造力的驱动下创造着世界。

正是在实证科学方法的导引下，我们现代人才找到了思维的暗道，并创造出无数奇迹。就如《圣经》所言："让我们按照自己的形象、自己的样式造人吧。"

人类的智慧也在一次又一次地创造着梦想。当我们的思维说："让世间充满光吧！"于是世间顷刻间便现出了神奇的光辉；当我们的思维说："让人类在天空飞翔吧！"它的愿望又实现了，而且他比宇宙中任何飞禽飞得都要高；当我们的思维说："使遇难水手的呼救声让陆地上的人听到吧！"它的愿望果真又实现了，他们的救命声果真神奇般地传到了遥远的岸边；当我们的思维说："让世间万物不断繁衍，植物枝繁叶茂，让我们人类能过上更加富庶的生活吧！"它的愿望也实现了，我们建成了一个物质极其丰裕的社会。

实际上，自创世纪起，也就是说，当想象开始与现实结合时，它就存在了。正是从那时起，想象就开始创造奇迹。但是，我们的大脑有时往往脱离现实,单凭自身的思维进入凭空的幻想之中,我们忘了大脑的创造力应该借助现实来思想,由此造成在许多活动中,人类把更简单、更容易、更易理解的手段与目的相混淆。由于将手段与目的混为一谈,以致我们一事无成。这样的事例在我们的生活中不胜枚举,比如,我们常常把增加营养作为贪食的借口,把简单地满足食欲作为最终目的,这样不但不会使身体健康,反而会损害身体。

再比如,在物种繁殖方面,当人们只是将性生活当作满足性欲的最终目的而不是延续生命的手段时,就会出现性功能退化甚至不育现象。如果人类仅仅为了自己的目的去进行创造性活动,而没有将其创造性活动用于造福世界,人类就对智慧犯下了罪行。如果仅满足于此,我们所造出的世界就只会是一个阴差阳错的、虚无的世界,它不可能成为永恒的珍品,而且这样只会将现实中本来存在的创造力毁坏。

幸运的是,实证科学使我们得以对思想加以洗礼,使心力的自然法则得以回归。就像《圣经》故事中的人物带着一大串葡萄来时,所有看到葡萄的人都惊讶不已一样,今天的科学家也深入到了真理的希望之乡,他们在那里窥见到了大自然的奥秘。当他们从那里归来时,给我们带来了各种奇妙的果实,让所有人观看。

实际上,这里面的奥秘很简单,它就是向我们提供了一套谨慎、耐心去观察的精确方法。人人都可以去探索奥秘,因为这些神奇的奥秘是同我们精神生活所直接需要的东西相一致的。这种实证科学方法使人类踏上了搜集事实、认识真理的道路,也使人类迈上了构建自己想象的道路。在当今世界,所有人都应该接受科学方法的熏陶,应该让每个小孩都亲自参与实验、观察,使他们与现实紧密联系起来。这样,他们那想象的翅膀就可以从更高的基点起飞,他们的智能也能被很自然地引向创造之路。

现实也是艺术想象的基础。我们的智力活动并不仅仅限于进行精确的观察以及实行简单而合乎逻辑的推理,它还要从事更为伟大的工作。

当然,我们凡人所从事的这项工作无法与但丁、弥尔顿、歌德、拉斐尔、瓦格纳等非凡的神奇人物相比,因为他们都是旷世奇才,具有非同寻常的观察、推理和想象能力。但是，我们每个人都拥有自己的想像力，也具有用自己的头脑去创造美的本能，形成各具特色和风格的艺术品、器具、诗歌以及民间音乐。随着这种本能的不断发展，就会形成一座巨大的艺术宝藏。这些用心灵世界创造的多样化世界将像彩虹色贝壳内嵌的软肉一样包裹着人类，保护着人们的精神需求。

我们除了从事有形的、现实的观察工作之外，还会从事创造性的工作，使我们远离尘世喧嚣，进入更高的境界。我们每个人在他的能力范围内都能进入这个境界。

然而，人类并不可能凭空创造出艺术品。以我们的观点，所谓创造，实际上是一种组合，一种在大脑中基于各种原始材料所进行的构造。这些原始材料是通过感官从周围收集来的，正如一条自古以来的公理所表明的：我们的才智没有哪一点不先存在于感官中。对于那些未呈现于我们感官面前的东西，我们是无法"想象"出来的，因为我们的意识往往被限制在经验的范围内，我们的语言在解释那些超越经验的事情时总是显得那样贫乏。就是想像力如此丰富的米开朗基罗，也只能将上帝画成一位威严的胡须老人。那些生来就又瞎又聋的人是不会对他们从未知觉的事形成具体概念的。

众所周知，一个生来就瞎掉的人是通过把颜色比作声音来猜出颜色的。比如，他们把红色想象成喇叭的声音，蓝色想象成小提琴的美妙旋律。聋子在读到描述美妙的声乐时，就会联想到一幅典雅美丽的画。并非所有的器官都能为想象提供等量的服务，而是某些器官常常占据优势地位。比如，音乐家的听觉就非常敏锐，他们倾向于用听到的声音来描绘世界。

对一位伟大的作曲家来讲，夜莺在一片静谧树林中的啭鸣声，雨水在幽静乡间的滴嗒声，都有可能成为他灵感的源泉。不同的作曲家其感受也是不一样的，有的作曲家会从静谧或喧嚣等声音的角度来描述一片景色；有的人则因为有非常敏锐的视觉而侧重于事物的形状与色调；还有一类人因为有触觉方面的优势，而从运动、弯曲、事物的原动力以及柔和或粗糙等来反映。

不管怎样，想象只能有一个感官基础，因此，感官教育就成为观察进入我们感官的事物与现象的基础。这种感官教育有助于我们从外部世界收集想象的物质材料。富于想像力的创造与现实的联系越紧密,它与外部世界的联系就越密切,其创造的价值也就越高。即使是在虚构的超人世界,想象也必须被限定在与现实相关联的范围内。

我们羡慕诸如《神曲》这样一流的文学作品,因为在这一作品中,伟大诗人的脑际里充满了如此丰实的素材,他通过对这些素材的比较,阐明了所想象的东西,使文中的比喻异常丰富,奇妙无比。每一位伟大的作家与演说家总是能把丰富的想象与所观察的事实紧密联系起来,为此,我们称赞他们是天才,因为他们的想像力丰富,知识渊博,思想清晰敏锐。

比喻仅限于实实在在的人和物。正是这种标准,也正是这种比喻方式,为人们的大脑创造提供了规范。一个富于想象的作家也必须占有丰富的感觉观察材料,这些观察所得到的材料越精确、完善,作家所创造的形象也就越丰富多彩。当一个痴人在说梦时,如果我们以此断言疯人的"想象"丰富,那我们就真疯了。他根本就无法对客观事物有正确的感知,因为他没有将客观事物与智力相结合的能力。

富于想象的语言之所以有价值,是因为作者所用的意象新颖独到,他能将现实的意象与所创造的意象联系起来,他所用的技巧有助于他对那些相关的意象产生联想。假若一个人只是重复或完全仿效他人的想象,他必将一无所成。因此,我们建议,每一个艺术家首先应是一位观察家。为了培养想像力,我们每个人首先必须使自己与现实联系在一起。

对一个艺术家来说,他在"塑造"人物时,并不是在照葫芦画瓢,而是在从事一种"创造",并且这种创造还是建立在大脑对现实的观察基础上的。画家、雕刻家的视觉对周围环境的形状、色调非常敏感,他们能感知周围环境的和谐与相异之处,他们通过观察与分析来去粗取精,以使自己的作品更加完善,直至成功的佳作问世。希腊艺术之所以不朽,就因为艺术家们在创造它们时首先就有深刻的观察基础。衣着单薄是当时的流行时尚,便利了希腊艺术家们对人体结构进行自由地观察。正是艺术家们所具有的敏锐观察力,使他们得以将美丽的体形与欠协调的肉体区分开来。在有了这些积淀之后,加上天才灵感的驱动,他们便能从大脑储存的信息中进行筛选,然后加以综合,进而创造出完美的人物造型。拉斐尔为了画圣母画像,他常常光顾罗马美女如云的特拉斯特维尔寓所,然后他在对这些模特进行观察的基础上予以升华,与自己内心中的圣母形象结合,便造就了传承千古的圣母画像。

据说,米开朗基罗曾有一段时间通宵达旦地遥望着星空。朋友问他在望什么,他回答:"我看到了一个圆顶。"正是他对天空长期观察所形成的奇妙图案,才形成了闻名遐迩的罗马圣彼得圆顶教堂。很显然,假若米开朗基罗没有对素材的积累,他是无论如何也造就不出名垂千古的圣彼得圆顶教堂的, 他所拥有的过人才智也只能付诸东流。

艺术越接近真实就越完美。譬如,当有人赞扬我们时,假若他的恭维是基于我们的某一真实才能,我们便会感到由衷的满足,因为他的赞扬是中肯的。他的言辞让我们感到,他是在对我们加以观察后说出的,是一种对我们怀有真诚敬意的表示。对于他这样表达出的友好情意,我们会报以真诚的谢意。反之,如果他的恭维并非是我们所具有的品质,甚至有所歪曲、夸大,与我们的真实才能严重不符,我们便会十分反感:这个家伙是多么无聊!对于这样的人,我们只会冷眼相待。

# PART 24

# 儿童想象力的培养

如果真要培养婴儿的想像力，我们要做的第一件事就是让他们在成为事物主人的环境中生活，或用建立在事实基础之上的知识、经验来丰富他的头脑，让他们在此基础上自由地成熟。只有让他们自由发展，他们才有可能展示其想像力。

——玛利亚·蒙台梭利

**假**如想象的真正基础是现实,而且一个人的感知能力与其观察的精确程度关联极大,那么,培养儿童想像力、使他们准确地感知周围事物所必需的材料就显得十分重要了。另一方面,让他们在严格界定的范围内进行推论,对他们进行将不同事物区别开来的智力训练,则为他们想像力的建立奠定了坚实的基础。这一基础打得越牢,他的想象与某种具体形式的联系就越紧密,它也便越能与独立的意象建立起合乎逻辑的联系。任何夸张或粗糙的幻想不能使儿童走上正轨。我们只有做好了充分的准备,才能开掘出一条壮丽奔腾的江河,供智慧之泉在里面流淌。只有这样,它所涌出的泉水才不至于泛滥,不会损害内在秩序之美。

在培养儿童想像力的过程中,我们绝不要阻止他们自发进行的那些活动,即使这类活动像涓涓细流一样十分渺小。我们的任务是"等待"。我们切莫欺骗自己,自认为自己能"创造智能"。我们除了"观察和等待"草叶的萌芽和微生物的自然裂变,别的什么也不要去做。

我们必须记住:创造性想象只要不是一种虚无飘渺的幻想,不是一种幻觉或错误,它就会在坚实的岩石上建起一座金碧辉煌的宫殿,智力的开发就有了坚实的基础。

人们通常认为,幼儿的一大特征是想像力极为丰富,为此,我们应采用一种特殊的教育方法来开掘这种特殊的禀赋。还有人认为,儿童喜好在虚无的、令人痴迷的世界遨游,就像原始人一样,他们总是被迷人的、超自然的和虚无飘渺的东西所吸引。对此,我们要指出的是,实际上在任何情况下,这种原始状态都只是暂时的,会被其他状态取而代之。对孩子的教育应当帮助他们克服这种状态,而不延伸或发展这种状态,甚或让他们停留在这种状态。

我们确实可以在孩子身上发现某些与原始人相似的特征。例如,在语言方面,他们的表达十分贫乏,只具备一些表明具体意思的词汇;他们用词非常笼统,一个词往往被用于表达几个目的或表示几件东西。但是,我们不能人为地对之加以限制,或有意加以提速以让他们快速通过史前期。

与那些永远停留在虚幻状态的人相比,我们的孩子则属于完全相反的一种类型。他们对伟大的艺术作品极感兴趣,对科学文明津津乐道,沉浸于需要丰富想像力的作品里,我们应为孩子的才智成形提供这样的环境。在智力发展的朦胧阶段,儿童为一些奇妙的幻想所吸引是很自然的事。然而,我们不能以此否定:孩子是我们的未来。他们应青出于蓝而胜于蓝。为此,我们对孩子想像力的发展切莫过分控制。

婴儿大脑的创造性活动现已被认为是孩提时代的重要活动,甚至被普遍认可那是一种创造性想象。正是通过这些活动,孩子赋予了那些他们所感兴趣的东西以赏心悦目的特征。

我们都见过,当孩子骑在父亲的手杖上时,他就感觉像真正骑在马背上一样,这就是孩子具有丰富"想像力"的证据。当一群孩子在建造一辆椅子和扶手齐全的四轮豪华马车时,他们感受到了多大的乐趣啊!建成后,一些孩子仰靠在马车里,心情愉悦地欣赏着他们所虚构的车外景色,还身临其境似的向欢呼的人群鞠躬致意;另一些孩子则坐在椅背上,抽打着想象的烈马,鞭子在空中挥舞。这是孩子具有"想像力"的又一例证。

但是,当那些已经拥有小马驹、习惯于在马车或轿车里进进出出的富家子弟看到这一情境时,他们会用轻蔑的眼光看着这些如此兴高采烈东奔西跑的孩子,他们会对这些穷孩子的举动非常吃惊,甚至会用这样的语言来奚落他们:"他们太穷了。他们这样做是因为他们没有马,没有马车。"我们不能为了教育富家子弟,而将他的马驹牵走,给他一根手杖。同样,我们也没有必要阻止穷人的孩子对手杖或马车的幻想。一个穷人或乞丐,当他潜入富人家的厨房,闻着扑鼻的香味,从而想象自己正就着他的面包吃着丰盛的菜肴,谁又能阻止他这样幻想呢?与此类似,当一位穷困潦倒、深爱自己孩子的母亲把仅有的一片面包分成两块,分两次给他,并对他说:"这是面包,这是肉!"时,孩子会心满意足地以为自己在吃面包的同时也吃到了肉。有人曾这样十分认真地问我："当一个小孩在不断地用手指在桌上比划着想象在练琴时，我们真的向他提供一台钢琴，这是件好事还是件坏事？""为什么会是件坏事呢？"我反问道。"因为假如我们这样做了，孩子无疑能学会弹琴，但他的想像力就得不到原先的锻炼了，我不知该怎么办？"他的这一担心确实有一定道理。

福禄培尔的一些游戏就有这样的问题。比如，将一块积木递给孩子，告诉他："这是一匹马。"再将积木按一定的次序摆好，又对孩子说道："这是马厩。现在让我们把马放进去。"然后再把积木重新排列，对他说："这是一座塔……这是一座乡间教堂，等等。"在他的这类练习中所使用的是实物（积木），就不像前例中被当作马匹的手杖那样容易引起幻想，孩子在向前移动时，可以骑手杖，可以抽打手杖，他会产生丰富的想象；而用马建塔和教堂则只会使孩子们的头脑更加混乱。更为严重的是，在这种情况下，从事创造性想象的、用头脑工作的已不是孩子，他们这时只是在按照教师的提示去做而已。孩子是否真的认为马厩变成了教堂，他是否在开小差，谁也无法知道。这时，他不得不潜心琢磨教师所提示的一连串电影式的意象，尽管这些意象只存在于同样大小的积木之中。

我们在这些尚未成熟的头脑里到底培养了些什么呢？通过这种教育方式，的确有人将树当作了王位对之发号施令，有人甚至相信自己即是上帝。正是这种"错误的知觉"成了形成错误判断的开端，并会成为神经错乱的并发症。正如精神病人什么也干不了一样，那些因欲望未得到满足而表现得狂躁不安的孩子，既不能为别人也不能为自己做任何事情。

我们成人总企图用一种让孩子将虚幻当作现实来接受的方法来发展其想像力。比如，在拉丁语国家，大人们是这样对孩子们讲述圣诞节的故事的：一位名叫比瓦娜的丑女人越过墙垣后，便从烟囱钻进屋子里，把玩具送给了那些听话的孩子，那些调皮的孩子就只能得到煤块了。在盎格鲁-撒克逊国家，圣诞节的故事则是另外一种情景：一位浑身沾满白雪的老人挎着一大篮子玩具，到了夜间，他便进到孩子们的房间，把这些玩具分发给熟睡的孩子们。这种方法怎么能培养起孩子们的想像力呢？故事所表现的是我们的想像力,而不是孩子们的想象。他们只是相信而已,这里没有想象。我们之所以这样对待孩子,是因为我们只需要他们轻信我们即可。轻信确实是那些尚未成熟头脑的特征,他们的头脑因为缺乏经验,也不具备现实的知识,因而缺乏辨别真理与谬误、美丽与丑恶、可能与不可能的能力。问题是,难道我们成年人仅仅因为他们处在无知、未成熟的年龄而表现出轻信,就企图在其身上培养轻信吗?这是绝对错误的。想想看,我们成人也有轻信的毛病,这是在与智慧作对。它既不是智慧的基础,也不是智慧的结果。只有在愚昧的状态下,轻信才会萌芽和增长。我们把愚昧看作是轻信的标志。

有一则流行于 17 世纪的、颇具讽刺意味的故事。当时,在巴黎的新桥是供行人行走的通道,也是人们休闲、集会的地方。这样,许多江湖骗子和庸医也难免混迹于此。其中有一个名叫马里奥罗的江湖医生,他就在那儿兜售一种号称来自中国的药膏。他吹嘘说,这种药膏可以使眼睛变大,嘴角变小;使短鼻子变长,长鼻子缩短。萨丁警长为此将这个江湖医生拘留起来,并审问了他:

"马里奥罗,你是怎么招来这么多人,为自己招摇撞骗提供方便的?"

"先生",马里奥罗回答道,"你知道一天之内有多少人要经过这座桥吗?"

"10 到 12 万人吧。"萨丁回答。

"是啊,先生,你想过没有,他们当中聪明人又有多少呢?"

"100 个差不多吧。"警长答道。

"这是最乐观的估计,"骗子说道,"不过就算如此吧,我还可以在其余 9900 人中找到机会啊。"

当然,我们可以说,现在的情况比那时强多了,现在的聪明人比过去多多了,轻信者也少多了,但更重要的是,教育不应让人走向轻信,而应灌输给他们智慧。谁将教育基于轻信之上,谁就是想在沙漠上建高楼大厦。

在此,我记起一则在社会上重复过成千上万次的故事。有两位出身高贵的公主,为了免受命运安排给他的优越生活的诱惑和虚荣的折磨,她们决定到一所修道院去接受教育。在修道院的日子里,修女们告诉她们,这个世界充满了虚伪,不信可以试试看,当有人夸赞你们时,你们可以试着躲起来,听听他们在我们不在时他们会说些什么,也许他们会诅咒你们。随着这两位年轻的公主到了可以参加社交的年龄,她们便第一次在一个晚会上露面了。很自然,所有来宾都不吝言词把这两位迷人的姑娘大大夸赞了一番。面对此情此景,两位姑娘想验证一下修女的话,她俩藏进客厅里一间用大帘子遮掩着的凹室里,想听听人们在背后说些什么。令他们惊奇的是,当这两位美人儿一离开,对她们的赞誉不但没有消失,反而更甚。在这一瞬间,两位修女感到非常失落,抱怨修女们所说的一切都是虚假的,并当即宣布不再信仰宗教,又投入到尘世的欢乐中去了。

随着人们经验的积累和思想的成熟,轻信会逐渐消失。如果能对他们给予正确的指导,则能使人们远离轻信。无论是一个国度,还是一个具体的人,随着文明的进步,必将减轻人们轻信的程度。这就是人们常说的知识驱走了无知的黑暗的含义。在无知的地方,幻想最容易游荡,因为它缺乏能使之上升到更高层次文明的支柱。难道我们要在轻信的基础之上来培养孩子们的幻想吗?不是的,我们当然不希望看到孩子仍然那样轻信别人告诉他的一切,事实上,当我们得知自己的孩子"不再相信神话"时,我们便会感到由衷地高兴。我们还为此夸赞他:"他已不再是个孩子了。"这一情形本应该发生,而且也是我们所期待的,孩子不再相信神话的那一天是一定会到来的。当孩子长大成人时,我们反倒应该问问自己:"在孩子成熟的过程中,我们到底做了些什么?我们给予了这脆弱的灵魂什么样的帮助?我们使他变得正直坚强了吗?"没有!实际的情况是,当我们想方设法使孩子保持幼稚、天真和充满幻想时,是他们自己战胜了困难。他们不仅战胜了自己,还战胜了我们。他们跟随自己内在发展与成熟的动力而行动,它们指向哪里,他们就跟到那里。他们甚至还对我们说:"你们把我们折腾得好苦啊!我们进行自我完善的任务就已经够艰巨的了,你们却还要压制我们!"难道不是吗?!诸如,要他紧咬牙关,不让牙齿长出来,因为我们将没有牙齿当作婴儿的特征;不让小孩站直身子,因为我们认为婴儿就是不能站立的等等。事实上,我们甚至还在有意延长孩子们那贫乏的、不确切的语言阶段。我们并没有去帮助他们聆听词的清晰发音,观察他们嘴唇的变化,反而去学孩子的幼稚语言,重复他们那笨拙的发音,大着舌头发辅音,甚至把辅音发错。我们这样做的后果是极其严重的,它等于是延缓了孩子本来十分艰难的形成期,使他们倒退到疲惫的婴儿状态。

不仅如此,我们在想像力的教育上也扮演了同样的角色。

我们总是对那些幼稚的头脑在处于幻想、无知和错误状态时颇感兴趣,如同我们看到婴儿被抛上抛下时就非常高兴一样,甚至如我们对孩子们轻信我们向他们讲述的圣诞故事就感到快慰一样。我们真有点像那些贵妇人一样,尽管他们从表面上显得对收容所里那些贫穷的孩子感兴趣,而内心里却是另外一种心理:"如果没有这些病孩,怎么显出我们生活的愉快。"我们也会说类似的话:"假如孩子们不再轻信,我们的生活也将失去许多乐趣!"

我们这样做是在犯罪,我们只是为了自己取乐,而人为地阻止了儿童的一个发展阶段。这和那些野蛮的王国人为地限制某些人的身体成长,使其成为供国王消遣的侏儒一样。也许有人说这一论调有些耸人听闻,但事实就是如此,我们只是没有意识到而已。如果我们能克制自己,不再人为延长儿童的幼稚期,让他能够自由自在地成长,并赞叹他在成长道路上所取得的每一奇迹般的进步,我们就为儿童的完美做出了贡献。

如果真要培养婴儿的想像力,我们要做的第一件事就是让他们在成为事物主人的环境中生活,或用建立在事实基础之上的知识、经验来丰富他的头脑,让他们在此基础上自由地成熟。只有让他们自由发展,他们才有可能展示其想像力。

我们可以从最穷的孩子开始这一工作。因为他们一无所有,这样的孩子所梦寐以求的正是他们最不可能得到的,正如穷困潦倒的人梦想能腰缠万贯,受压迫者梦想得到王位一样。因此,一旦这种处境的孩子有了自己的"房子"、扫帚、橡皮、陶器、肥皂、梳妆台以及家具,他们会非常高兴地照料这些家什。而且在得到这些他们梦寐以求的东西后,他们的欲望就会减弱,过上一种平静的、丰富自己内心的生活。

只有在有了真实的财富后,孩子们才会镇静下来,这样可以减少他因处于无益的幻想所消耗的宝贵精力。一位号称照我所说的方法去做的孤儿院教师曾邀请我去参观孩子们练习实际生活的过程。我去了,同去的还有一些权威人士。当我们到场时,一些孩子拿着玩具,坐在小桌子旁,正在给一个玩具娃娃摆桌子准备吃饭。但我们发现孩子们显得毫无表情。当我吃惊地望着那位邀请我来的教师时,她居然没有任何异样的感觉。很显然,在她看来,假想的生活与现实的生活就是一回事,孩子们在游戏中摆弄桌子吃饭与实际生活相差无几。正是这种在孩提时代灌输的错误,会慢慢发展成为他的一种精神态度。

意大利一位著名的教育学家曾这样责问我:"难道自由是件新鲜事吗?请读一读夸美纽斯的著作吧,你将会发现,早在他那个时代就讨论过这个问题了。"我回答道:"是的,很多人都讨论过,但与之不同的是,我所说的自由是一种真正意识到的自由。"这位教育学家在听了我的话之后,也许还未明白我所说的这两者之间的区别。如果我再补充一句:"你难道不认为一个谈论百万财富的人与一个百万财富的拥有者是有差别的吗?"他就不会对此有异议了。

一个对假想心满意足的人,会把假想的东西当作真实的存在,他总是追求幻想,不"承认"现实,这种现象实在是太普遍了。更可怕的是,它居然还不为人们所意识。事实上,想像力总是存在着的,不论它是否建立在一个坚实的基础之上,是否有构筑它的材料。差别就在于,如果它不是建立在现实和真理基础之上,它就会成为压抑智力发展、阻止真知之光的负面力量。

正是由于这一错误,使人类已经或正在失去多少光阴和精力啊!不为事实所支撑的想象,就如同漫无目的的做功会消耗体力直到病倒、消耗智力直到着魔一样。

在多数情况下,学校是一个呆板、阴沉沉的地方。灰白色的墙壁、白棉布的窗帘,都会妨碍学生感官的松弛。学校之所以打造这种压抑的环境,其目的就是为了使学生专心致志地听教师讲课,以免他们因为外在的刺激而分散注意力。孩子们就这样每天一小时、一小时地在教室里呆呆地坐着,一动不动地听老师讲课。他们在画画时只能依样画葫芦,他们所从事的活动必须遵从别人的指令,对他们个性的评定完全是基于他们被动的服从程度。

正如克拉伯雷迪所言:"我们的教育在用一大堆对孩子行为毫

无指导意义的知识来压迫他们。他们已无心听讲时，我们还在强迫他们；他们已无话可说时，我们还要强迫他们讲述作文与演讲；他们已毫无好奇心时，我们还在强迫他们观察；他们已毫无发现的欲望时，我们还要强迫他们去推理、论证。我们总是在强迫他们做这做那却从不征得他们的同意。"

孩子们在用眼读、用手写、用耳听老师讲课时，就如受苦役一般。他们的身子坐在那儿一动也不能动，但他们的脑子并没有做到专心思考。他们不得不努力跟着教师的思维转，尽管教师所依据的只不过是那随意设计、没有考虑孩子爱好的大纲。这样，那些飘浮不定的意象只会像梦境一样时不时地呈现在孩子眼前。教师在黑板上画上一个三角形，然后将它擦掉。该三角形只代表一个抽象概念的暂时视觉形象。那些从未亲手拿过实体三角形的孩子就必须用力记住三角形的形状。围绕着这个三角形，许多抽象的几何计算便接踵而至。像这样的图形只能使孩子一无所获。它不能与其他事物相混合而被感知，它永远不会成为灵感。其他任何事物都一样，目的本身就是疲劳的。这种疲劳几乎包括了实验心理学的所有努力。

孩子必须先有内心生活的创造，然后才能将其表述出来。为了创作，他们必须自然地从外界吸取建筑材料。在他们能发现事物之间的逻辑联系之前，对其思维必须多加锻炼。我们必须为孩子们提供他们内心生活必需的东西，然后让他们自由地创造。只有这样，我们就会遇见一个两眼闪闪发光、边走边思考、灵气十足的儿童。

我们必须关心和爱护做这样努力的孩子。如果有创造的想像力姗姗来迟，那说明孩子的智力还未发育成熟。此时我们不应勉强孩子进行想象的创造，否则就等于给孩子戴上了一副假胡子，实际上男孩子要到 20 岁才能长出真正的胡子。

# PART 25

# 不要包裹孩子

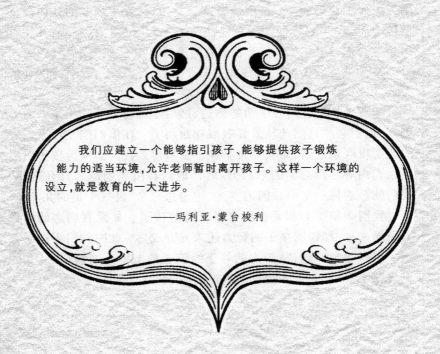

我们应建立一个能够指引孩子、能够提供孩子锻炼
能力的适当环境,允许老师暂时离开孩子。这样一个环境的
设立,就是教育的一大进步。

——玛利亚·蒙台梭利

环境对生物的重大影响,早已为生物科学所证实,进化论中的唯物论更指出,环境对物种繁衍和生物形态会产生戏剧性的影响,前者会使后者发生改变,甚或使其变异。我们当然无法讨论所有不同的理论,然而这一结论经由法国昆虫学家法布尔的研究确实得到了印证。法布尔借助对昆虫生存环境的研究,让人们对昆虫的生命成长过程有了新的认知。透过生物研究我们可以确认,除非能在生物的自然环境下进行观察研究,否则我们无法对其有透彻的了解。

当我们探讨人类和环境之间的关系时发现,与其说是人去适应环境,倒不如说是人创造了一个环境来适应自己。人们身处在一个社会环境里,在这个社会环境中,有一些特别重要的精神力量在发生作用,它们构成了人们社交生活的人际关系。假如一个人不能在一个他所适应的环境里生活,他不但无法正常发展他的潜能,更无法学会了解自己。新式教育理论的中心思想之一,就是呼吁人们重视孩子社会本能的培养,并且鼓励孩子与同伴相处。

但是,现在的问题是,孩子根本找不到一个可以适应的环境,因为孩子生活在成人的世界里。这种生活环境上的偏差,对现代孩子人格的发展造成了相当的影响。举例来说,孩子身边的东西的尺寸大小和他的身材比例相差悬殊,因此孩子对这些东西没有办法产生认同感,当然也就无法达成自然的发展。

环境的失调对孩子的重大影响,不单是因为尺寸大小的差异,还因为孩子在如此不协调的环境下,他的动作无法得心应手。就像一个技术高超、动作轻巧的杂耍者,一旦发现我竟然想模仿他的动作,他一定会觉得我不自量力,因为在他心目中觉得根本就没有人可以模仿他的高超技艺。假如我居然还试着一步一步地慢慢跟着他的动作做,他肯定会失去耐性。我们对孩子的态度是不是也如此呢？为此我想给每位妈妈一个忠告：让你那三、四岁大的孩子依照他们的喜好去行事，让他们自己梳洗，自己换穿衣服，自己吃东西。

倘若我们尝试在我们替孩子布置的环境里生活一天，我相信那一定会感到非常痛苦。我们所有的精力大概都会花在替自己的行为进行辩护上，然后整天嚷着同样的话："不要管我，我不要！"我们最终可能还会哭出来，因为实在找不到任何其他维护自我的办法。然而，还是有很多妈妈向我抱怨："我的孩子真难缠，他就是不起床，哄他午睡，他连眯一下眼都不肯，而且他还整天把'不要，不要'挂在嘴边。小孩子怎么可以一天到晚这样呢！"

但是，如果这些妈妈能在家里准备一个与孩子身材相符，能解放孩子的精力，同时又能配合孩子心理发展的环境，孩子就能获得充分的自由。这种做法实质上使我们向解决问题的方向迈进了一大步，从此孩子拥有了他自己的环境。

学校，是专门为孩子而建立的，因此学校里的桌椅和用具都应该依照孩子的身材和力气来制作，这样孩子才能够像我们在家移动家具一样，轻松地移动与使用它们。

以下是一些环境摆设的基本原则：家具必须要轻巧，摆设的位置要让孩子能够方便移动，照片要张贴在孩子的视线高度，让孩子能够轻易观看。这些原则适用于所有环绕在孩子四周的东西，从地毯到花瓶、盘子和其他类似物品。家里面的每一样东西都必须要能让孩子使用，日常家务也要让孩子参与，比如扫地、吸地毯、自己穿衣服和梳洗等。在孩子四周的东西，应该让他觉得坚固而且看起来有吸引力，"儿童之家"应该是可爱又舒适的，因为只有当一所学校显得美观时，孩子才会乐于在里面活动和生活，就像大人知道一个环境优美的家，有助于家庭和谐融洽的道理一样。我们几乎可以肯定地说，环境的舒适美观与孩子的学习活动力有着必然的关联。在一个优美的环境中孩子主动探索与发现的意愿，要比在一个混乱不堪的环境下更强。

孩子对环境美丑的直觉是非常敏锐的。旧金山蒙台梭利学校的一个小女孩，有一天到公立学校去参观，她一进教室就立刻发现那儿的桌椅布满了灰尘。她对那里的老师说："你知不知道为什么你的孩子都不打扫，宁愿让教室脏兮兮的吗？因为他们没有漂亮的抹布可以用。假如没有漂亮的抹布，我也不会想去打扫的。"

孩子用的家具一定要是可以清洗的，这并不只是因为这样比较合乎卫生，真正的理由在于，这些可以清洗的家具，提供给孩子乐意去做的机会。孩子学会了注意环境，学着把污点洗干净，久而久之，孩子就会养成保持干净的好习惯，会把他身边的东西刷洗干净。

很多人经常建议我，在桌脚和椅脚下贴一层塑胶止滑垫，以此减少移动时的噪音。我倒觉得发出点噪音反而比较好，因为这样我们才知道自己的动作是不是太粗鲁了。孩子往往一动起来，就没有什么秩序可言，他们也不太懂得如何去控制自己的行为，这完全是因为孩子的肌肉还没有发展到可以控制自如的地步，这点和大人是不一样的。

在儿童之家里，孩子的每一个粗鲁动作，都会被椅子和桌子发出的噪音"展现"出来，为此，孩子就会变得非常注意自己的身体动作。儿童之家里也摆设一些易碎物，像玻璃、盘子、花瓶等等。有的大人可能会质问我们："为什么？这些玻璃制品一旦到了三、四岁孩子手上，一定会被打碎的！"有这种想法的人，似乎把几片玻璃看得比孩子还重要。难道这类值不了多少钱的东西比孩子的身体训练还珍贵吗？

在一个真正属于孩子的环境中，孩子会尽力注意自己的举止，控制自己的行为。在这种环境中，孩子不需要外来的激励就能够改进自己的行为。我们可以从孩子的脸上看出他所充满的喜悦和骄傲，偶尔还会看到他那种无以名状的正经样儿，这说明孩子天生就能改进自己的行为，而且他们也喜欢如此。说真的，在一个三岁孩子的人生道路上有什么呢？唯有成长。我们一定要尽我们所能帮助孩子自我改进，这样，孩子日后才能成为一个有用的人。换句话说，我们必须给孩子机会让他练习自己必须会做的事，因为发展就是靠不断的练习而来的。孩子喜欢洗手，这并不完全因为他觉得洗手很好玩，而是因为洗手让孩子觉得自己能够做到，在生活中能自己动手。这是他发展所有能力的根本所在。

在孩子正发展的生命中，在孩子借助于工作尽力让自己做得更好的时候，我们应该做些什么呢？大人往往费尽心力想要帮助孩子,却妨碍了他们的自然发展。就像许多学校把桌椅固定在地板上一样。没错,孩子的确好动,而且动作常常粗鲁不已,但是孩子从来不认为如果桌椅不固定的话,他们就会将之破坏。虽然把桌椅固定后看起来比较整齐,但是这样一来,孩子永远也无法让身体行动有秩序了。我们也许可以帮孩子准备一个铁碗或铁盘子,这样他在把碗盘摔到地上时也不会打破,但是这么做反而会让孩子像着了魔似的,更想把碗盘往地上丢。我们那样做只是用障眼法把问题隐藏了起来,但是,这个孩子除了会继续犯错之外,这种人为限制也将成为阻碍他自然发展的绊脚石。一个想要自己动手做些事的孩子,是乐于合作且充满活力的。

通常当我们看到孩子遇到困难的时候,我们会立即介入,帮孩子完成他将要做的事。或许我们的脑子里有一个声音在说:"你想要自己梳洗,自己穿衣服?!别麻烦了,我就在这儿呀!我会帮你做任何你想要做的事情的。"这个被我们剥夺了自主权的孩子会变得很难相处,我们会把他的行为当成是不乖,我们还以为帮孩子做事是为了孩子好呢。

我们应该想想看,在孩子生命中的前几年,他是怎么度过的。他被限制在家里,里面只有不能打破、不能弄脏的东西,孩子根本动弹不得,更没有机会练习控制身体,学习使用日常生活里常用的东西。许多学习必要生活经验的机会就这样被剥夺了,孩子的生命也将因此而受到影响。

有些孩子好像没有人可以管得好。他们老是烦躁不安,闷闷不乐,每次都不愿意乖乖梳洗,他们的爸爸妈妈只好随他们去,从不加干涉。每个人都说这些爸爸妈妈真好又有耐心,可以每天容忍这样的孩子。然而这种做法真的就是对孩子好吗?如果果真如此,那人们未免误解了好的标准。

对孩子好并不等于去容忍孩子所犯的每一项错误,而是应该找出避免孩子犯错的方法。对孩子好,就是要尽可能地让孩子自然地生活与成长;对孩子好,就是尽可能供给孩子成长所需。我们应该认识到孩子其实十分弱小无力,他需要别人的帮助。只有这样才是对孩子好和爱孩子的表现。

当我们在属于孩子的环境里观察他们的行为反应时,我们发现,为了让自己把事情做得更好,他们总是自动自发地工作。我们不但可以从孩子选择的物品中看出,孩子的确处于一个合适的环境,也可以看到孩子借由使用这些物品,进而还发现了自己的错误。

我们应该为孩子做些什么呢?

什么也不必做。

我们已经努力提供了孩子的一切所需,现在必须要做的只是克制自己想要帮助孩子的冲动,静静地在一旁观察,跟孩子保持一段适当的距离,不要常去打扰他,也不要放任不管。当孩子在做一项在他看来非常重要的事情时,他会显得很沉静,而且自得其乐。除了在一旁观察之外,还有什么需要我们做的呢?这正是我成立蒙台梭利学校的源起。因为在蒙台梭利学校里,当老师被降为观察者的角色时,孩子反而能够自发地从事他们自己的活动,这一点和一般学校的教学正好相反。在一般学校中,老师一般采取主动的角色,孩子则停留在被动的位置。然而,孩子的成长与发展越好,老师就应只是在旁观察。

这让我想到我们学校里发生的一件令人捧腹的事。有一次校工忘了把学校大门的锁打开,孩子因此没办法进学校,心情都不太好。老师最后对孩子说:"你们可以从窗户进去,只有我进不去。"于是孩子就一一从窗户爬进教室里,老师呢?则心甘情愿守在门外看着孩子们在里头玩。

因此,我们应建立一个能够指引孩子、能够提供孩子锻炼能力的适当环境,允许老师暂时离开孩子。这样一个环境的设立,就是教育的一大进步。

# PART 26

# 家庭中的儿童教育

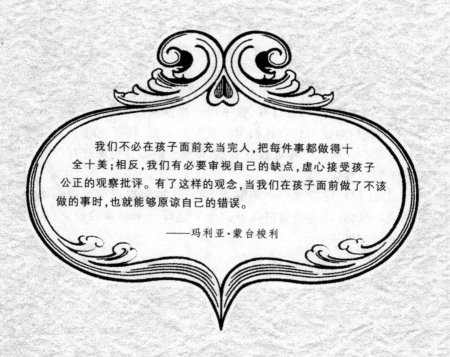

　　我们不必在孩子面前充当完人，把每件事都做得十全十美；相反，我们有必要审视自己的缺点，虚心接受孩子公正的观察批评。有了这样的观念，当我们在孩子面前做了不该做的事时，也就能够原谅自己的错误。

——玛利亚·蒙台梭利

到目前为止，我们已经明白，多数幼儿教育是以偏差的观念和先入为主的错误成见为基础，但是，今天已有许多人尝试将实际观察所得的正面看法公之于众。这些从各方面观察而设计出的教学法，已有许多获得了成功，似乎使幼教的方向发生了明显转变。任何现代教育方法，在实施之前，都必须先观察孩子，通过不断试验总结而成。这些教育方法，最终也应深入家庭，那时不但一个面貌全新的孩子将应运而生，做爸爸、妈妈的也会因此而脱胎换骨。

到目前为止，家长对孩子的主要教育方法不外乎纠正孩子的不当行为，教孩子分辨对与错。然而能够率先示范、以身作则的家长少之又少，他们大多以道德劝说和口头训诫为主，一旦这些都无效，便采用责骂和鞭打的劣行。诚然，在这个热爱和平、自由与平等的社会，除了父母亲之外，没有人更有权力用体罚的方式来教育孩子。

但是，这个体罚的权力，也让家长背负着双重的责任：一是在没有抵抗力量的孩子面前，家长必须展现他们的权威和说一不二的威严；二是家长必须在行为举止方面作为孩子的典范。家长非常了解，自己在孩子未来发展上正扮演着决定性的角色，犹如一句谚语所言："那双推动摇篮的手，掌握着整个世界的未来。"然而，一个童年时只需靠练习和耐心便可顺利学会最简单工作的母亲，她是无法将那套办法应用于自己孩子的教育上的。而一个少年得志的父亲，也可能懒得去思考如何培养孩子的人格，也不会留心观察孩子。结果，无论是由于疏忽还是已经竭尽全力了，甚至或由于过去的经验太空洞而缺乏生趣，父母亲往往放弃自己的重责大任。

而到了一个纯真无邪的孩子降临到家之时，爸爸妈妈便开始相互指责对方的缺点。现在突然一下子要他们成为孩子模仿学习的模范，当然是一件困难的事。因为他们突然要面对一项新的义务——十全十美。教育子女,改正孩子的缺点,用惩罚的方式让孩子改正错误、取得进步,最重要的就是要通过父母自己的优良典范来教导孩子,这些都是加在他们身上的任务。由于日常生活的许多困难与矛盾,父母亲面对的情境,我们在此便无法仔细讨论。

首先让我们来看看"说谎"这个问题。

当一位好妈妈最重要的责任之一,就是教育孩子养成诚实的习惯。一位和我熟识的妈妈为了教导她的小女儿绝对不能说谎,向小女孩描述了许多说谎的卑劣行为。她同时也在小女孩面前赞美那些即使受到责难、牺牲一切,也坚持做对事的勇气和坚定意志。妈妈用尽心思想让孩子理解,一次小小的谎言到最后会让人犯下一连串错事的道理,好比一句谚语所说:"说谎会让人失去理智。"她还特别对孩子强调,一个身处幸福家庭、富裕的人更应该维持尊严,为那些家境贫穷、没有办法得到良好教育的人树立典范。

可是她自己做得又如何呢?有一天,她的一位朋友在电话里邀请她去听音乐会。妈妈再声地推脱说:"啊!真不好意思,我头疼得厉害,实在没办法去。"她电话还没讲完,就听到隔壁房间传来一声尖叫。她赶紧冲过去一看,只见小女孩双手捂着脸,整个人跌坐在地上。"亲爱的,发生了什么事?"小女孩哭着回答:"妈妈说谎!"

小女孩对妈妈的信任就这样被彻底摧毁了,孩子和妈妈之间从此竖起了一道隔离的高墙。孩子对成人社交的看法产生了疑惑,社交在孩子心目中的神圣意义受到了亵渎。这位妈妈处心积虑,好不容易才让孩子习得诚实的习惯,而她却从未反省自己在日常生活中惯于说谎。

那些不厌其烦鼓励孩子养成诚实习惯的大人,往往把孩子包围在谎言里,而这些谎不但不能算是"小谎",还常是有预谋的,且都是用来欺骗孩子的。提到欺骗,让我联想到一则与圣诞节和圣诞老人有关的轶事。一位妈妈对骗孩子真的有圣诞老人存在的事,觉得非常内疚,所以她决定向孩子说出事实的真相。孩子知道过去一直被骗后,失望极了,而且还整整一个礼拜愁眉不展。孩子的妈妈在跟我说这件事的时候还难过地流下了眼泪。

不过,这种情况不一定都会有这么严重的后果。比如,另一位妈妈也向她的小男孩说了类似的话,小男孩听了之后马上笑了出来，还跟他妈妈说："哦！妈妈，我早就知道世界上没有圣诞老人了！""可是你怎么从来也没告诉我呢？""因你每次听后都很高兴呀！"在这一情境下，父母亲和孩子的角色整个是给对调了。孩子是一个非常敏锐的观察家，他是出于对爸爸妈妈的同情，因此而顺从父母的心意以取悦他们。

很多爸爸妈妈认为，他们的小孩应该毫无异议地听父母亲的话，不过另一方面，爸爸妈妈也希望孩子能够非常爱他们。在这方面，孩子也常常成为爸爸妈妈的老师，因为孩子的思想是那么纯真，他们的正义感更是令人意想不到。

一天晚上，一位好心的妈妈要孩子上床睡觉。小男孩请求妈妈让他把已经做了一半的事完成后再去睡，但是这位妈妈一点也不肯做出让步。小男孩只得还是乖乖地上床了，可是过了一会儿他又爬起来想把事情做完。小男孩的妈妈发现孩子竟然背着她偷偷溜下床，狠狠地骂了小男孩一顿。小男孩对妈妈说："我没骗你啊，我跟你说过我想要把事情做完的。"妈妈不想再和孩子说下去，就叫小男孩说对不起。可是这个小男孩还想继续和妈妈理论，他并没有欺骗，就像之前他向妈妈坚持说要把事情做完才去睡一样。小男孩解释说，因为他并没有欺骗任何人，因此他不明白为什么他需要道歉。"好吧！"小男孩的妈妈接着说："我知道了，原来你一点也不爱妈妈！"小男孩回答："妈妈，我真的很爱你，只是我并没有做错事，为什么要道歉呢？"以上的对话让我们听起来孩子的谈吐才像大人，而这位当妈妈的反而像孩子般在无理取闹。

另外一个例子讲的是一位在基督教新教派中当牧师的爸爸，这位牧师的小女儿每个礼拜天都会到教堂里去帮忙。某一个礼拜天，牧师正在布道，主题是耶稣的同情心。牧师说：我们所有人都是兄弟姐妹，穷人和受苦难者也是耶稣的子民，如果我们希望获得永生，对穷人和苦难之人就必须呵护。牧师的小女儿被她爸爸的讲道深深感动。离开教堂之后在回家的路上，牧师的小女儿看到路边有一个小女孩在乞讨，可怜的小女孩身上还有许多伤口。牧师的小女儿跑过去，爱怜地拥抱和亲吻了小女孩。牧师和他的太太简直吓坏了，一把抓回了他们穿戴整洁的漂亮小女儿，一边急急忙忙走开，一边责骂孩子的行为。回到家以后，牧师太太赶紧帮小女孩洗了个澡,全身的衣服也重新换了个遍。其结果呢,事情过后,小女孩再听她爸爸讲道时,就像听其他故事一样,已不再有什么特别的感觉了。

上面提及的轶事在日常生活中比比皆是,还有更多数不清的冲突源自父母与下一代之间,或者应该说是成人和孩子之间的不和谐。

大人自以为是的态度以及那些错误不当的行为,孩子其实都看在眼里。这些隐藏的冲突和矛盾,总有一天会引发孩子和父母之间的现实冲突。孩子和我们成人之间隔着一道鸿沟,无人能够跨越。在孩子和父母的冲突中,虽然取得胜利的一方通常是占强势者,但是爸爸妈妈依仗强权所取得的胜利,往往不太能让他们的小对手信服,因为大人的确做错事了,他们还采取高压的手段来制服孩子。他们强迫孩子服从,以保持自己在孩子面前的威严形象;为了达到唯父母独尊,爸爸妈妈命令孩子闭嘴,才确保了"和平"。然而,爸爸妈妈在赢得胜利的同时,也失去了孩子对他们原有的信任,并且连父母和孩子之间的自然情感和相互信赖也一道消失。

如此一来,孩子无法得到内心深处最需要的慰藉,孩子的人格发展将会产生一些不良反应。为了适应成人的不当行为,孩子会刻意压抑某些生理上的紧张反应,由此造成在日后生成各种疾病。这类伤害所引起的一些不良行为,甚至被视为孩子的特质,其实它是一种自我保护机制。例如,以害羞或故意说谎来掩饰不乖的行为,孩子的恐惧也和说谎一样,是由被迫屈服与顺从而引起的。这种情绪对孩子所造成的伤害,要比其他情绪反应来得严重,因为它让孩子将想像与感觉混为一谈。这种情绪上的混淆,常发生在缺乏内在发展机会的孩子身上。

除了上述种种缺失外,我们还发现了一种被动模仿的弊病。孩子一味学样,与其说是一种自我改进与成长的方式,还不如说是通往堕落之路。因为进步是一种自我的内在工作,光看别人怎么做是无法进步的。孩子内心被压抑的期望,就像沉埋在地底的矿物一般,从此隐藏起来,孩子永远也无法估量它们的真正价值。这些欲念由于永远无法实现,也由于不曾有机会控制,更由于它时时存在心头,因此一点一点地吸引着孩子,并不断诱惑着他。

　　由于大人压制了孩子的自然冲动，也因而妨害了孩子做有用的事和发挥其精力的能力。换言之，在孩子按照自然法则发展的路途上，大人成了绊脚石。孩子在学习上也因此绕了许多冤枉路，陷入成千上百种毫无学习意义的物品、玩具里打转。原本拥有的克服困难的能力，也在不知不觉中受到影响，孩子只好认命似的顺从大人的指挥，所有事情已显得索然无味了。

　　这样的孩子本来拥有童年之翼的，但他们振翅欲飞的冲动却被折断了。孩子的想像力一旦接触不到他可能会感兴趣的东西，就会失去自觉，在物质世界漫无目的的寻找。由于缺乏实际的体验，孩子离真实世界越来越远，生活也变得不大正常，只能陷入无益的空想。

　　孩子弱小的灵魂仍会无时无刻不在抗争，以保护自己。然而孩子只能用躁动、任性、生气、哭闹和耍脾气等消极方式来反抗。孩子故意调皮捣蛋实际上是他们愤怒与故意反抗的另一种形式，由此耗掉的不是正当的精力，而是在贫乏的想像力下所表现出的恶言恶行及恼人的捣蛋行为。

　　除此之外，这些让老师束手无策、让人疲于管教的"小麻烦"，还可能成为其他孩子模仿的对象。而大人用来对付这些孩子的办法，就如同对付一个无视法律闯入圣地的敌人一样。

　　在这种和大人的对立冲突中，孩子的神经系统首先会受到伤害。如今许多医生开始了解，孩子情绪失调的首要原因，源于婴儿时期受到的压抑。孩子在婴儿期的一些征兆，例如，失眠、做噩梦、消化不良和口吃等，通常都是情绪失调的结果。

　　在孩子有这些不良表现后，爸爸妈妈会尽全力、想办法治疗孩子的情绪疾病，努力改善孩子性格上的缺失。尽管他们为治疗他们对孩子所造成的疾病心力交瘁，然而这些伤害将伴随着孩子进入成年期。之所以酿成如此后果，是因为家长把对孩子的压迫误以为是爱的表现，因此忽略了孩子的真正需要。

　　我们一定要让孩子受压制的精神重获自由！只有这样，孩子身上的所有这些病症才有可能奇迹般地消失，至于剩下的那些不能治愈的疾病，则完全有可能是天生的。人性的缺点之一是，很多人总觉得需要有一个权威，来教大家怎么做才是对的，以指引人们走入正途。

当我们克服了以上的毛病后，也要防止走入另一极端。虽然年轻一代的父母亲都能够让天真、纯洁的孩子自由发展，但是爸爸妈妈千万不能将教育的自由，片面地理解成不该改正孩子的缺失。如果爸爸妈妈这么做，将会使孩子受到忽视，大部分孩子会因此而产生情绪上的毛病。在这里我无意制定出新的原则，只是归纳出一些结论。然而，在应用这些结论之前，我们必须思考真正发生在孩子身上的问题是什么，然后斟酌该怎么做，这样才能满足孩子心理上的需要。

现在的妈妈在照顾孩子身体健康的知识与技巧方面，和以往一样纯熟。她们知道营养均衡的重要性，懂得如何让孩子适应环境，她们也了解孩子在新鲜的空气中玩耍有助于肺部吸收更多的氧。可是孩子并不是一只仅需要喂养的小动物，孩子打从一出生起就具有了精神灵魂。如果我们真正为孩子的福祉着想，那对他们只有身体上的照料是不够的，我们还需要为其精神发展开路。从孩子出生的第一天起，我们就应该尊重他的精神冲动，并且寻求如何帮他们的想法。

在如何照顾孩子的身体健康方面有明确的准则可循，但是在精神健康方面，其原则所包含的范围就很广了，而且至今有许多仍尚未为人所知。我们可以确定的只是，孩子需要的绝对不只是吃的东西而已。孩子在不受大人的干扰下，自己完成一件事以后的那种骄傲高兴的表情，就是在向我们宣告他丰富内在潜能的需要。我们应该引导孩子，创造机会让孩子开发其潜能，而不应阻碍他的活动。

现在的玩具大多数都缺乏刺激孩子精神发展的功能，我相信这类玩具在消费市场上终将被淘汰。让我们一起来看看过去几年当中玩具市场上的变化。制造业者不断加大玩具的尺码，他们把娃娃做得几乎和真的小女孩一般高，和娃娃相关的产品，例如床、衣橱、炉子等等，也跟着变大了。但是小女孩并不喜爱这样的玩具。

我们必须让孩子生活在一个他们能够自己把握的生活环境中。一个属于孩子的小盥洗台，几把小椅子，一个孩子能打得开抽屉的柜子，一些孩子能够使用的日常用具，一张晚上睡觉用的小床,和一床孩子可以自己叠放的漂亮毯子。我们必须让孩子生活在一个既能居住也能玩乐的环境之中。我们会看到孩子在这样的环境中,双手整天忙个不停,夜里只想赶快换上睡衣,然后爬上自己的床乖乖躺好睡觉。孩子也会自己清理家具,自己穿衣服,还会自己养成健康的饮食习惯,自己照顾自己。孩子整个人变得安静又有礼貌,不哭、不闹,也不顽皮捣蛋,真是一个友爱而顺从的"乖孩子"。

新式教育不仅提供了一个适合孩子发展的环境,而且注意到了孩子喜欢自己工作,并有很强的秩序感。新式教育更强调对孩子进行生活观察的必要,希望能在孩子的精神开展之前,察觉到孩子的需要。新式教育期望通过我们对人体保健已知的知识,将这些知识妥善运用于新式教育,以获得新的进步。对我们来说,孩子们心理上的健全发展是最为重要的,这是新式教育的基础。

接下来我将列举出几项原则,希望妈妈们能在此基础上寻求出最适合孩子的方法。

尊重孩子正在进行的所有合理活动,并试图了解他们的活动目的,这是首要的原则。

孩子的内在潜力,是促使他在各方面进行努力的动力,问题是,我们经常对孩子在生活中所表现出来的潜能视而不见。当谈到孩子的活动时,我们脑子里浮现的只是孩子曾经被我们观察到的某项特定行为,我们之所以能观察到,也许只是因为他的这一行为特别引起了我们的注意。浮现在我们脑子里的,也可能是孩子让我们领教过的调皮捣蛋之举,或者是孩子受不了一再被压抑终于爆发的心理偏差。其实,孩子活动的真正征兆并不是非常显而易见的。我们一定要相信孩子拥有善良的本质,然后用充满爱心的关怀,以发现孩子善良的本质。只有这样,我们才能逐渐对孩子做出正确的评量。如果爸爸妈妈希望自己对孩子的自然行为有一定程度了解的话,就应该按照以上建议,做好发现孩子善良一面的准备。

以下是我在孩子身上所观察到的一些情形。

让我先把焦点放在一个三个月大、刚刚才从生命开端出发的女婴。我观察到婴儿发现到自己双手的过程。小女婴竭尽所能想要更仔细观看她的手,可是她的手臂太短了,需要费力地移动双眼才看得到自己的手。虽然小女婴的身边有很多可以看的东西,但是她最感兴趣的还是自己的手。小女婴的努力属于一种本能的表现,一种为了满足内在需求而甘愿牺牲舒适的表现。

稍后,我拿了一些东西让她触摸玩耍。可是小女婴却显得心不在焉,她对我给的东西显然一点兴趣也没有。她张开小手,看也没看就让东西从手上掉了下来。然而从那时候开始,她每一次试着要抓住什么东西的时候,脸上总会显现出灿烂的表情,不管她想抓住的东西离她很远还是很近,也不管她抓到了没有。小女婴满是疑惑地不停地看着手,她的表情好像在说:"咦!为什么有时候我可以把东西抓住,有时候却不行?"对手的使用过程明显吸引了小女婴的注意力。当小婴孩长到六个月大的时候,我给了她一个装有银色铃铛的玩具摇铃。我把摇铃放在她手里,教她怎么样才能摇出声音。玩了几分钟以后,她就把摇铃丢在了地上。我从地上把摇铃捡起来,重新放回她的手里,可是她又将它丢了下来。我们俩就这样你丢我捡地重复了好几次。

这孩子好像故意把响铃丢到地上,好让人帮她立刻捡回来似的。有一天,当小女孩手里又拿着响铃的时候,她不像以往一样把手全部打开让响铃掉到地上,而是先放开一只手指头,然后再放开另一只手指头,然后再放开另一只,一直到最后五个指头全打开了,响铃才掉到了地上。此时,孩子目不转睛地看着自己的手指头。她一边反复做着一根一根张开手指的动作,一边继续观察着自己的手指。很明显,小女孩感兴趣的并非玩具响铃,而是整个手指的游戏,是那些知道怎么抓住东西的手指让她觉得有趣,而正是她对手指所做的观察让小婴孩感到快乐。想想看,在她此前更小的时候,为了看到自己的手,她还只是很不舒服地移动双眼,现在她居然研究起手的作用了。小婴儿的妈妈在这方面表现得十分明智,她克制了自己,不去把摇铃收起来,她也加入到孩子的游戏中,理解到孩子一再重复的游戏举动对孩子的成长发展有极重要的帮助。

这个事例向我们表明了孩子在生命早期的简单需要。倘若人们没有注意到小婴孩对手的好奇心,也许她的手会被戴上护手套,这就会妨碍她想要看手的欲望。小婴孩的爸爸妈妈也可能因为看孩子一直把摇铃丢到地上，就干脆把摇铃拿开，那么我们上例中观察到的所有事情就不可能发生了。而这种帮助小婴儿智能发展的最好、最自然的方式，就有可能被压制住。原本正在享受中发现新事物中得到快乐的孩子，可能会因为她的发现游戏被中断而哭闹起来，此时，爸爸妈妈可能会觉得孩子似乎哭得一点道理也没有，一堵充满误解的高墙也便从婴儿期开始，竖立于我们和孩子幼小的心灵之间。

或许有很多人怀疑，在如此幼小的孩子身上，是否有一个内在生命的存在。如果这些人希望了解孩子的需要，希望认识到这些需要对生命发展的重要性，他们就必须要去试图了解幼小心灵的独特语言，尊重孩子的发展自由，包括帮助孩子培养这些能力。

下面这个例子和一个一岁大的男孩有关。有一天，小男孩正看着妈妈在他出生之前所画的一些图画。小男孩特别喜欢看那些画中有小孩的图，而且还会亲亲画上的小孩。小男孩也懂得分辨花的图样，他会把鼻子靠在上面，好像在闻花香的样子。小男孩看到孩子和花所做出的不同行为反应，清楚地显示出他知道这两者的不同。旁人看到小男孩做出这些动作，觉得他真是可爱极了，纷纷笑着拿起其他东西学小男孩又亲又闻的动作。在这些人的眼里，小男孩看到孩子和花的行为反应好像只是一件好笑的事，并没有什么意义。他们拿蜡笔给小男孩闻，送上枕头要小男孩亲。小男孩脸上原本智慧的表情，转而被困惑所取代。在此之前，小男孩还因为自己能够分辨图画里的东西，高兴得全身都充满了快乐，这种分辨能力对孩子的智力发展是非常重要的里程碑。但是现在面对成人残忍的挑衅与干扰，孩子已实在无力招架。小男孩最后只得黑白不分，每样东西都闻都亲，旁边的人笑，他也跟着笑，孩子独立发展的道路因而受到箝制。

我们是否经常像那些对待小男孩的人一样，做出了错误的事却毫无知觉。大人抑制了孩子自然的行为反应，常常把孩子弄得不知如何是好，然而当孩子最后无助地流泪时，大人反而觉得这孩子怎么“无缘无故”地就哭。我们不曾关心孩子为什么哭，正如我们从来不曾注意孩子因精神得到满足所露出的快乐微笑一样。这种情形在婴孩生命之初感觉最脆弱的时候，在孩子开始要感受人际交流的时候,就已经发生了。孩子和成人的情感拉锯战,也从这个时候起正式展开。

如果我们把孩子放入摇篮,轻轻摇他,孩子就会入睡。我们不应该讨厌哭闹求助的小心灵。但如果孩子仍体力充沛,我们立刻知道他需要的睡眠不多。他的眼神明亮、聪慧,表现出想和人交往的神情。他需要帮忙,也会投向任何帮他的人。有人常说小孩子喜爱妈妈奶水充足的乳房,更胜于爱妈妈个人,这句话似乎意指日后孩子会对任何给他好东西的人表示好感。实际上,这种说法并不公正,应该说早在生命开启之初,孩子就会自然地亲近任何能够帮助他精神发展的人。

我们都知道,孩子希望大人的陪伴,而且千方百计想成为大人生活中的一部分。虽然只是和家人坐在餐桌前一起用餐,或者只是和家人在火炉旁取暖,孩子也感到心满意足。人和人之间的轻言细语,是最悦耳的天籁,也是自然界赋予我们学习语言的方法。

第二条原则是:我们必须尽可能支持孩子活动的意愿,培养孩子独立的个性,不让孩子养成依赖的习惯。

到目前为止,孩子开口说的第一个字和孩子跨脚迈开的第一步,是我们所看得到的,而且几乎是儿童发展上极具象征意义的里程碑,也是孩子进步的最初证据。第一个字开启了语言的发展,第一步则证明了孩子直立和行走的能力。因此,这两方面对一个家庭来讲都意义非凡的大事,当这些事发生的时候,聪明的妈妈还会特别把它们记录下来。

学会走路、说话,是很不容易的事。孩子需要不断努力,那短小的双脚才能站立起来,那大头小身躯的身体才能维持平衡。就连孩子说的第一个字,也是一种相当复杂的表达方式。会说话、会走路,当然不是孩子最先学会的两件事,说话和走路只不过是两个最明显的发展阶段而已。在这之前,孩子的智能和平衡感早已经发展到一定阶段,这一阶段是孩子在学会说、会走之前的必经之路,值得我们倾注所有的注意和观察。

固然,孩子会自然而然地成长,但是只有在孩子能够获得充分练习的条件下,这句话才称得上完全正确。如果孩子在成长过程中缺乏练习的机会,他的智能发展就会停留在较低的程度。我认为,那些从婴儿期开始便受到支持与引导的孩子，其发育要比其他孩子良好。

那些一点也不关心小孩的妈妈，会从孩子断奶起，就粗鲁地把饭一口接一口地塞进孩子嘴里。倘若我们能在孩子吃饭的时候，和孩子一起坐在他的小桌子前慢慢吃，我们会很欣喜地发现孩子会拿汤匙自己放进嘴巴！

孩子学会自己吃饭，是妈妈的一大功劳，因为在这期间妈妈得付出很大的爱心和耐心。妈妈必须同时喂养孩子的身体与精神，而孩子的精神需求更重于身体需要。妈妈的一些育儿观念，例如对清洁卫生的注意，当然也是十分重要的事项，但是与精神上的滋养相比，清洁卫生则成了次要项目。孩子刚开始学着自己吃饭，还不太懂得握汤匙、拿筷子，肯定会弄脏自己。妈妈这时候应牺牲干净原则，让孩子自己动手的合理冲动得到满足。实际上，随着生理与精神的不断发展，孩子的动作将更趋纯熟，他也不再会把自己弄得脏兮兮的了。吃东西时能够保持整洁，这说明孩子在发展上取得了实质性进步，也是孩子精神发展上的一大福音。

从一个孩子能持续做多少次这样的行为，我们可以看出他的意志力为何。早在孩子会说话、甚至走路之前——大概快要 1 岁左右——孩子的行为动作就仿佛心里有一个声音在指引着他。孩子会突然想要试着自己用汤匙吃东西，可是他这时候还没有办法成功地把食物送到嘴里。即使肚子饿，他还是不要别人帮忙。只有等孩子自己动手的需求满足了，他才会让妈妈喂他吃。也许孩子会弄得脏兮兮的，但他的脸上还是充满愉快又聪慧的神情。此时，孩子想要自己动手的念头已经得到满足，所以他会乐意地把什么东西都吃下去。以这种方式教导的孩子，在 1 岁左右便学会了自己动手、自己吃东西，令人刮目相看。虽然孩子这时候还不知道怎么开口说，但是他完全听得懂别人跟他讲的话，也会用动作来加以回应。

孩子的一些动作让人感受到已然开化的智慧。我们说："把手洗一洗！"孩子会去洗手。当我们请孩子把地上的东西捡起来，或者是把脏东西擦掉，孩子同样会去照着做，而且每件事都做得很认真投入。

有一次，我和一个将近一岁的小男孩结伴到乡下去。由于他才刚刚学会走，所以当我们走在一条石子路上时，我不禁想要去牵他的手。但是我强迫自己打消了这个念头，改以口头提醒的方式告诉他："走另外一边！""小心这儿有块石头哦！""这边要小心走！"小男孩非常认真地听着我的提醒，一步一步小心地走路。他不但没有跌倒，还走得很好。我说一句，他走一步，我轻声地说，他注意地听。小男孩对这个我说他做的有意义的活动兴趣盎然，走得不亦乐乎。用这样的方式来教导孩子，是每一位妈妈真正需要尽的责任。

如果我们只是一味地给孩子一些对发展没有多大用处的东西，这对孩子并无真正的帮助。唯有配合孩子的精神发展，才能使他得到最大的助益。此外，了解孩子的天性和尊重孩子的本能活动，也是两项有意义的工作。

第三项原则是，我们必须时时警觉和孩子之间的相处之道，因为孩子的感情——特别是对外来的影响，比我们想像的还要细腻敏感。

倘若我们既没有足够的经验，也缺乏应有的爱心，去分辨孩子在生活中流露出的细致情感；倘若我们不懂得如何去尊重孩子，那么我们通常只有在孩子激烈表示的时候，才会察觉到。但是我们的帮助为时已晚。孩子会有这些激励的行为，完全是因为我们疏忽了他的某些需要，所以孩子才会哭闹，而我们这时候再匆匆忙忙地赶去安慰孩子，似乎有些本末倒置。

然而，有些家长抱持着另外一种育儿原则，他们从经验中得知，孩子哭闹一阵以后会自己安静下来，所以他们通常对孩子的眼泪不为所动，也不会想着去安慰孩子。这些家长认为，如果孩子一哭我们就去安慰他，不但会把孩子宠坏，还会让孩子养成用眼泪引起大人注意的坏习惯，爸爸妈妈就会变成这些被宠坏的孩子的奴隶。

我有必要就此看法做一个回应，那就是孩子看似无理取闹的眼泪，在孩子习于我们的爱抚前就开始，而它们其实都是孩子内心挣扎不安的表示。为了内在的建构，孩子需要充分的歇息，更需要一个平和不变，能让他觉得安心的环境。可是，大人却反过来一再蛮横加以干预。我们一股脑灌输一些东西在孩子身上，速度快得孩子根本来不及消化吸收，以致孩子像饿过了头或者吃得太撑似的放声大哭，觉得消化不良。

我们应该试着让孩子自己擦干眼泪，也应该尽可能去安慰他，可是我们经常忽略了孩子的真正所需。虽然孩子眼泪背后的原因是如此难以捉摸，但它却是所有问题的答案所在。

海伦是一个还不满 1 岁的小女孩，她常常用西班牙加泰隆尼亚方言"不怕"（pupa）这个字，来代表"不好"（bad）的意思。海伦通常都是因为有什么原因，她才会哭。她对环绕在周围的事物非常好奇。我们发现，每次她经历一些不太开心的事，例如撞到东西，觉得冷了，碰到凉凉的大理石板，或是手摸到粗粗的东西，她就会说"不怕"（pupa）这个词。当她伸出被撞疼的小手指给人看时，大家都会说几句安慰的话，或是亲亲她手指受伤的地方。海伦很注意观察大家对她的及时关心，然后她会说："不怕，不！"（pupa，no！）好像是在告诉你："我觉得好多了，你不用再安慰我了。"通过如此互动，海伦不只能够表达她的感受，也懂得体谅身边其他人所付出的关怀。她绝不是一个被宠坏的孩子，因为没有人给海伦任何无谓的拥抱，或是太多的安慰。但是通过直接关心孩子的感受，我们不仅帮助孩子清楚地观察人与人之间的互动，也帮助孩子发展其社交本能。因此我们这么做，等于是在帮助孩子汲取生活社交上的第一经验，孩子细微纯真的敏锐情感天赋也因而得以顺利发展。每当孩子告诉我们哪件事让他觉得不快乐时，我们绝对不会跟孩子说："没关系，不要紧。"我们会接受孩子不愉快的感觉，轻声给予安慰，但也尽量不要去渲染孩子遭遇到的不愉快事。

孩子觉得不愉快、心里不高兴，大人在此时告诉他没关系、不要紧，这样很容易使孩子在情绪上产生共鸣，不但能起到鼓舞孩子面对情绪经验的效果，同时也可以引导孩子排解自己的情绪。我们绝对不能否定孩子的感觉，对孩子的情绪视而不见。当然在另一方面，最好也不要对孩子的情绪做太多的议论，或者在孩子的感觉上大做文章。一句轻柔关爱的话是孩子唯一需要的安慰。得到适时的安慰和关爱以后，孩子得以继续他对周围事物的观察，不受影响地自由体验生活，孩子的身体发展也会因此而获益良多。

小海伦不是一个动不动就哭的小孩。如果有不好的事情发生在她身上,海伦会自己反复地说"不怕"这两个字,然后希望有人来安慰她。有一次海伦病了,她一直对妈妈说:"不怕,不",好像在安慰自己似的。与其他同年龄的孩子比起来,海伦身体不舒服时其忍受能力真是惊人,她不但懂得调适自己的情绪感觉,还能够像成人般把烦闷与不适抛开。

看到其他人受苦,孩子通常也会跟着哭得很伤心。海伦和劳伦斯这两个小孩都是这样,他们的情绪很容易被感染。比如说有人假装打了护士一下,或者爸爸装势要打他们的一位玩伴,海伦和劳伦斯马上就会哭出声来。如果有人心情不好,或是为了某件事伤心哭泣,海伦会立刻到这个人身边温柔地亲亲他。然后,海伦会用一种自信的语气说:"不怕,不",来表示"不要怕,一切都没事了,我们别再提了!"海伦虽然还不太会说话,但是她的语气是如此明白、坚定!倘若换成劳伦斯的话,他则表现得更加积极。如果他的爸爸做错事,劳伦斯会勇气十足地数落爸爸的不是。假如爸爸做出一些粗鲁的举动,或者推撞到劳伦斯,劳伦斯是不会哭的,他会站到爸爸面前,用很严肃的表情看着爸爸,然后用责备的口气喊:"爸爸,爸爸!"意思是说:"你不可以这样对我!"

有一天,劳伦斯躺在床上想要睡觉了,他爸爸在另一个房间里大声和别人讲话。劳伦斯从床上坐起来,大声喊道:"爸爸!"听到了这个警告,爸爸赶紧把音量降低,劳伦斯也就满意地伸伸懒腰,继续他的美梦去了。

我还记得海伦稍大点,大约3岁的时候,曾经有这么一件事。那时候海伦的阿姨拿了一些"儿童之家"教材中的色板给海伦看,其中一块色板被阿姨不小心掉到地上打破了,她的阿姨趁机把握住这个机会教育,对海伦说:"你看,一定要很小心!""而且要很注意,"海伦接着对阿姨说,"还不能让它掉到地上哦!"孩子就是这样,有什么就说什么,他们会批评、责备大人的不是,唯有当大人说出为什么这么做的理由时,孩子的正义感才得以平息。

我们不必在孩子面前充当完人,期望每件事都做得十全十美。相反,我们有必要审视自己的缺点,虚心接受孩子公正的观察批评。有了这样的观念,当我们在孩子面前做了不该做的事时,也就能够原谅自己的错误。

# PART 27

# 人类倾向和蒙台梭利教育

我们教育家不知道我们正在做什么，我们也感到不安全，并且在寻找我们难以发现的路径。因为不管我们怎么试，都是失败！但是有一件事我们从未失败：那就是蒙台梭利方法……如果你能像蒙台梭利博士一样了解它。

——玛利亚·蒙台梭利

　　蒙台梭利博士教育的目的，一方面是为帮助幼儿的发展，另一方面是帮助幼儿本身能够适应周围环境和社会需求，而该社会需求是由幼儿以及和幼儿生活的人一起控制的。蒙台梭利博士说明其所谓的"适应"，对她而言，这个词意指快乐、轻松和某种内心的平衡状态，它能带给幼儿安全感。它是基于精神层面上的永久性，也就是在幼儿的家庭所身处的环境下的一种道德和经济的平衡状态，并且具有一个非常决定性的社会影响。从家庭生活经验（和在团体中的参与）间心理学上的活动引导幼儿成为成熟的个体，去适应任何他所成长的团体环境。为了适应，于是"稳定性"扮演了一个重要的角色，因为它意指个人开始朝向愿景实现的基础，就如同走在坚固的盘石上。

　　从这个观点来看，我们目前的处境对幼儿而言，比过去更令人难以适应。近些年来，由于来自各方新思想的冲击，对经济、社会和精神上已造成改变——因此，眼下不止在一个国家，而是全球社会都处在一个混沌不明的状态。导致人们感到没有什么是永恒的。因此，并不令人意外，幼儿在如此状况下比从前更难适应了。他们表现出"困难"、"不适应环境"和"怠忽"的现象，而且这些警讯仍在持续增加中。然而，在这个世纪，也是历史上首次，心理学正以过去难以想象的快速，广泛地被应用于幼儿身上。

　　蒙台梭利博士深信这种现象持续升高绝大部分归咎于这种不安全感。两次世界大战以后，我们处在一个旧价值被毁弃，但新价值尚未建立的时代。这个盛行在社会上将快速蔓延的不安全感投射在幼儿身上，对他们的心理健康造成莫大的伤害。亦即，本质上，心理健康是基于精神的平衡，就如同要安稳地站在一个具有坚定价值观坚固的支柱上，而这个价值观引导着个体平日的行为举止。

任由一个人想想我们的现状，他也会不由自主地感受到各种相对观念意识的冲击，而这些来自世界各地的观念意识是经由收音机、报纸、电影和电视所传播的。即便成人也深受这些冲击的影响。那么，在幼儿心理会造成更多的困惑也就不令人惊讶了！

虽然一个直接而有意识的反应并不容易被识别，但是根据统计显示，心理不平衡的人数正不断增加！在这种情况如此盛行下，试问教育能为我们做什么？

这种情况会导致绝望，但又有什么、谁能改变它？而且，它真的是如此绝望吗？

蒙台梭利博士常常说，"当幼儿遭遇困难时，不要寻求外力的支援，而是要注意到幼儿的本能以及幼儿发展的根本需求。"

她极力强调，"脱离常规的"幼儿，单只靠治疗表面的征兆是无用的。任何人都必须走出外在的行为模式，以触及最深、最基本、有创造力的部分。这对任何年龄的孩子都是如此。

有关 6 岁以上幼儿的"协助发展"，蒙台梭利博士说："他们已经从他们的周围环境中吸收——这个他们和他们家人所面对的这个有限的社会。你必须试着给予幼儿他现在所渴望的——对于这个世界的了解；这个世界的机能是什么以及这个世界是如何影响人类的生活和行为举止的。"不过博士也提醒我们，单单给予幼儿揭示是不够的。为了回应幼儿的需求，这个世界必须在他们成长和发展的第二个阶段，造就一个同样他可以吸收的环境。也就是说，幼儿在 6 岁以后，应当要能够"融入"这个世界，就好像在他们生命的前几年，已能融入目前的环境一般。

身为蒙台梭利教育的老师，你应当知道有关"敏感期"表现的技巧，幼儿活动的需要等等，在此我便不多做说明。

蒙台梭利博士再次提醒：我们不只是给孩子这个世界，并且要清楚地描绘"人类在这世界的地位"。因此，第一，世界的机能是如何运作的，第二，人类是如何受世界机能的运作所影响，这是两个基本要素。此外，我们必须尽可能让幼儿真正了解人类对他们同胞的贡献。因为，如果幼儿能够体验到世界的机能是如何运作以及人类在他整个生命周期里为自己工作的同时，事实上也是为别人在工作——那么，便有一种显见的事实（能有一种自然生成的思想）让幼儿能感激人类，虽然这在目前对他们而言仍是很难明了。为了实践它，蒙台梭利博士说："基于这些根本不变的事实，无论处在任何特别的历史时刻，或整个历史的过程，意识形态的改变，也因此促使人类经由不同管道去追求。"

有些根本、不会改变的事实，可以有助于我们的教育工作，当然这也攸关幼儿本身。例如，幼儿并不是出生就继承了文化的这个事实；其他事实则相关于社会。无论何时的意识形态，某些事实总是维持不变的。例如，人类必须靠衣食住行来维持生活。无论是什么主义，人类必须吃和满足其他需求，这是相当清楚明白的，而人类如何供给这些需求，就是另一个事实。

让我们来思考一下，什么是"人类的需求"以及"人类在他的一生中如何适应"；"人类如何达到控制世界的地位"。如果我们可以把这些事一并考虑进去，便可以看到显然存在人类思想里不一致的背后，有一个连续不可分的一致性。任何人均可察觉到，在意识形态里，人类不是扮演抽象的要素，而是这种意识形态是浮现在每一种被创造的物体上。人类是众多生物中能够表现出的其中一种，或者我们可以将此现象称之为"宇宙的有机体"。没有了其他生物的存在，人类便无法生存。意思是说，人类需要依靠任何已被创造的事物而生存。

例如，让我们再来看一次维持生命力的问题。人类需要依靠矿物质生存，他必须喝水，无论是茶或其他饮料，并且他需要蔬菜和动物以及它们的物质。

因此，我们所得出的结论是，人类就像一种环境的寄生虫。

换句话说，当我们一想到动物，便会发现同样的道理。动物为了生存，也需要植物或其他的动物和水。又想到植物，只要是和喂食有关，似乎也成了其他生命的牺牲品，然而我们发现植物同样需要以动物为食物。动物释放出排泄物就如同呼吸时吐出二氧化碳一样，它们死了以后，身体变成植物的食物；另一方面，植物的残屑和氧气被人类和动物所吸收，而成为维系生命中最基本的要素。从这些例子中我们可以看到，世界是由于这些不同的构成要素互相依赖而成的。如果缺乏某些构成要素,剩余其他的将无法生存。

让我们再考虑得详细一点。在生命的领域中,蝴蝶采花蜜的同时,蝴蝶也使得土地丰饶,植物得以继续生存。

这似乎是一种重要的特色——在不知情的情况下提供服务。这种情形甚至可能发生在外表上看起来似乎是相反的行动。就如同食肉动物靠猎食其他动物为生的例子一样。生物学者发现,如此一来,肉食动物帮助它们所吃的动物数量维持在正常的状态。他们消除拙劣、体弱和不健康的成员,使剩余的保持警戒,以致生还者成为竞赛中最好的。这种服务的特性,可以在猎食者于该环境中被移除之后显现出来。一旦该动物的数量不断增加,这些机能退化动物的数量太大,占用太多的土地,饥饿和传染病大灾难因而发生,这样的杀伤将会比肉食性动物的杀伤更多。虽然,为了生存这样杀害是残酷的,但是这样不只是维持动物生态适当的平衡,而且也激励了某些种类的动物达到更高的水准。我们知道,人类必须依赖动物、植物、水、土壤和阳光而生存。动物必须依赖水和植物,甚至现在他们也依赖人类,因为人类创造了让一些动物可以发展和进化的可能性;植物必须依赖阳光、水、土壤、人类和动物——这就是世界的机能运作。若单从表面上看来,各种生物间不同的凶残的猎食行为,将有机群体中的协调性掩盖了。每个生物似乎在说:"我在这里! 这是我的工作,那是你的,远处是他们的,我们一同努力推进改革并且为我们的环境创造更好的状态。"

当我们详细地检视过去和洞察地质学的意义,便会发现,居先的每一种生命,已经为下一个生命准备了路程。非常明显的,如果第一个生命不存在,也将不会有以后的生命。因为我们发现各种生命一个接一个的进行。这种之前生物所聚积的经验和他们所造成环境的改变,让后来更优越的生物能享有更多的生存可能性,而这些可能性在没有之前生物的准备下是不可能存在的。那不只是发生在过去,同样的过程在今日仍然进行中。例如,第一种植物是从光秃秃的石头上生长而来的,是一种地衣类植物。这是唯一一种能在石头上生长繁殖的植物。没有其他种类的植物可以做到。我们也许会说他们可以喂食他们自己,他们尽可能吃得更多。在这种觅食行为下，在他们死亡后，他们的后代就寄生在他们上面，这些后代变得和他们的食物来源——石头，距离越来越远，所以这种生物终于灭亡。其他的地衣类植物可以喂食，他们以第一种地衣类植物为食。而轮到这些地衣类植物，他们也会经历相同的过程：他们也享受他们的生命，在同样的地点代代相传，并且也创造某种状态使他们不可能继续生存，所以他们也会一起死亡。然而无论他们如何聚积，只有增加更多的尘埃残留下来。

每一种生命的进化，都是建立在之前其他种类的生命所创造的环境之下的，就像从苔藓，到草，到树木一样。每一种先前的生物都为下一种生物建立了基础。

无论是过去或现在，只要想到生命，便会发现这个供给的方式。这个供给的方式似乎在说："我给予了我的生命精力，为的是要贡献给其他生命，而那些生命是跟随我之后并且比我更好的。"让我们更深入这个哲学的思索，便会发现以下奇怪的事：在每个例子中，似乎有一个明显的自我本位，它掩蔽了内藏供给的真实。

就拿人类来说，他需要呼吸否则便会死去。所以他呼吸是为了他自己。然而在他每次吐气时，植物也因此取得它们最需要的二氧化碳。

而对植物来说，它们不得不放出氧气，实是为了它自己的生存，然而却也让动物得以生存。

这便是造物主的杰作：他可以安排到甚至一种最自我中心的生物，也能提供服务来维持其他生物的生存，或为了即将跟随的未知生物做准备。一旦我们张开眼界，我们可以看到这种更多生物间的相互关系，也会深深地赞叹造物的神奇。

这些一切看起来是多么聪明啊！

然而，乍听这下会觉得很奇怪，很难理解，但是经过一段时间之后，人类便会清楚事实的真相。西元 1937 年，蒙台梭利博士第一次为幼儿说明这个事实。那时候我们在荷兰的拉伦市有一个小型的教育中心，这个中心是在很偶然的情形下成立的。博士有一个冀望，也就是幼儿应当知道社会如何运作的。现在这个趋势已经普遍被接受了，而且有一些教育家更将它延伸并倡议道："这个世界的观念必须归入学校"（也就是说，我们应该在学校里提供买卖东西的经验和相类似的活动，经由此，社会的功能可以在课堂上被提供）。

世界要归入学校是不可能的，因为世界太大了。蒙台梭利博士有一个更直接的想法：给幼儿"世界之钥"；"幼儿应当有他们自己与世界的经验，以至于他们学习去感激它和感激生活在里面的人们。"

因此有一天，当一个小孩需要一支铅笔，蒙台梭利博士要他自己去买。当他回来时非常生气，他说："我等了好久！""店老板叫我等，那是我为什么会这么迟才回来的原因。"他十分的气愤，他觉得店老板冷落他因为他年纪小。之后，蒙台梭利博士透过她的助手说明，解释给这个小孩听："你知道吗？这个店老板每天早上要起得很早，清扫她的店，然后在柜台后面等待，只为了迎接任何一位需要东西的人。如果客人来到店里不喜欢她所提供的东西，她会在店里为客人寻找他们需要的东西，直到客人满意为止。而且她在说话时需非常友善且有耐心。这个店老板得为任何客人这样做，她必须保持友善，热心服务。"

"您说的没错，但是店老板也得到了报酬啊！"小孩插嘴道。蒙台梭利博士指引地说："你想想看，店老板还有其他的生活方式吗？如果她必须在田里栽培小麦，把它磨成粉；如果她必须缝制自己的衣裳，她将不能站在柜台后服务客人。所以她必须靠客人付给她的一些钱才能生存下去。但是如果你想想看她每天的生活，是在那里服务你和其他的客人，而你和其他的客人付给她的钱大部分是买你们所需要的东西，剩余的一小部分只够她维生而已。她无法因卖东西而变得富有。她的一生，从一开始工作，就在为别人服务，例如为你服务，她大概会一直不断工作直到死亡。那时她或许已存了一些钱，但她无法将它带走，那些钱只会留给她的亲戚、教堂或医院。除此之外，她的大部分衣物也将留下。而她的一生已经奉献给她的店里去照顾其他的人了。"

蒙台梭利博士的话深深地打动了这个小孩和我。如果人们可以想到博士所得到的这个问题，其实每个人都是如此。今天我们可以坐在这里,是因为某些人做了这套衣服;某些人纺织——如果是由羊毛做的,必定还有一群人在养羊等等。如果今晚我们可以坐在这里享用这些设备,是因为曾经有无数的人造就成的。

回想你午餐时吃的面包:谁种植小麦?谁烘焙面包?这个社会的事实是每个人都要依赖其他的人。而我们教育家,仅仅是选择了其中一种服务而已。

如果有些人变得富有,那是因为他们解决了广大的需求:他们提供了比别人更好更便宜的东西,分布到商店使得供应更容易。人们便因此生活在不需要很多辛苦就能得到更好的结果之中。

博士曾说过:"这些富有的事业经营者,若从人类的感觉上而非从宗教的意义上来看,他们是圣人。"

就拿工厂主人为例。每个人都需要衣服,那是为什么那些人制作衣服来卖,而且比别人富有。但是如果我们假想每个人都必须做他自己的衣服,就像以前一样。当我幼小时,在我们的小村落,我记得有一个妇人为她的家人制作床单。她一整天都在编织,其他的妇人也是如此。她们需要编很久才有一块床单啊!此外,她们还必须为家人做一些琐碎的事,她们一定没有时间来做任何其他的事了。那时男人也辛苦地在田里工作。在那样的状况下,文明不可能进步,文化不可能提升,因为人们完全没有剩余的时间。如果一对已婚的夫妻必须播种小麦,然后照顾小麦,而且要煮饭、清扫、洗衣服和碗盘,还要照顾小孩和家畜,还有做衣服,等等;他们必须一天工作十八个小时。在一天要结束时,他们唯一感到的便是疲惫:现在我终于可以睡了……,我要睡觉去了!那是他们唯一的愿望,没有别的了。这时当有一个人想到用机器制作大量的衣服,这对所有生活在如此状况下的人来说,是多么慈爱啊!而且它将会变得便宜许多。

如果做衣服的这些人可以做得到,那只是因为某些人制作了这种机器,以及其他的人耕作和收集棉花和亚麻布。因此,无论你注视哪里,你都会发现对别人的慈爱和服务。

无论我们做什么都是如此。就拿我们教师来说吧,如果我们帮助幼儿使他们成才成器,我们便等于帮助社会。你也许继续留在你的国家你的家乡里工作，但是当幼儿长大以后，也许到世界的任何地方和带给那儿利益恩惠，而这个恩惠是来自于你曾经教育他们。你曾经教育过的学生，有些可能在加拿大，有些可能在澳洲，或是在上帝知道的地方。

无论如何，你们身为教师已经花费心血，使得幼儿因你们的教导更加优秀，这个利益恩惠不只是幼儿自己，还有很多你不知道的。

这是个值得思考的问题，蒙台梭利博士强调：这是个慷慨付出者的匿名信。因为是谁做这套衣服？我不知道。是谁养羊？是谁制作羊毛？我不知道。所有带给我礼物的人都是匿名的。这难道不是最美好的慈爱，就如我说的，人类真实的本质吗？当我们想的更深一点，便可以了解到和谐性——这种和谐性是在联合国建立后所达成的成就，并且是朝着每个人都希望的方向——已经在那里了！

就在那里了！

这只是我们粗浅的想法，让我们不能接受它就是在那里的事实。但是所有的我们是团结一致的。不只是那样，如果我们不团结一致，我们就没办法生存，不可能生存！

这个人性的宽大慷慨是另一个事实，也是蒙台梭利博士建议应当被强调、被突显的，幼儿有一个很好的机会来吸取人性和对这个世界里他所不认识的人的感觉——这些人也许在非洲，也许在澳洲，在欧洲——这些人正在为他而工作。幼儿因而发展天性本能以及意识到人性值得感激和尊敬。

这是蒙台梭利博士所说的，幼儿应当藉由我们的帮助来吸收。因为当幼儿人格一旦养成，无论后来什么样的观念意识冲击，他都能拥有一个基本的意识来判断是非曲直的真相。

如果人们在幼儿时期有这样的机会去了解这个世界和社会，他们便不致那么容易去跟随空想的社会体制。因为他们跟随的是自己无意识中的不满！任何一个稍具智慧的人能够真正相信那只是一些华丽的政治人物导致这两次世界大战吗？停下来想想看，为什么一个领导者成为一个领导者？因为他所解说的观念意识，使他成为一些模糊意识的结晶，那些后来加入的跟随者，他们并非有清楚的意识。当有人走出来,清楚地陈述而解答了这些意识,他便成为一个领导者。一旦他成为一个领导者,并且他已经激发了信心和热狂,如果这些跟随者没有一个掌握事实的基础,即使走向灾难,他们都会跟随着领导者。

但是他们已经在幼儿时期接受过辅导,除了被告知这个世界和社会运作的真实面,而且拥有对默默为他们工作的人怀着感激的心情——这是人性的全部——我没有疑虑的,如果有一些新观念的狂热者告诉他们:"跟随我走向荣耀"(意指:跟随我去作战),他们便会停下来思考。他们的反应会像你我一样,假如有人告诉我们:"看啊!你看到那边的阳台了吗?你看到小鸟在飞了吗?你是一只小鸟,但是你的妈妈不想让你飞,杀了你妈妈,然后从阳台上跳下来飞翔。"因为他们知道,如果妈妈死在他们手上以及从阳台上跳下来这些后果的感受。

这就是大概的样子。这是蒙台梭利博士意指的"我们必须帮助幼童在六岁以后去发展他的倾向。他们现在促使他不再像以前一样仅仅是了解其周围的环境,同时也去了解他们现在无法做到的心灵的探索。"

如果我们这样做,他们自然的会感激上帝和人类。

这份了解和感激应当是教育这个年龄最重要的根本,在这个坚固的基础上,再去进行有意识的融入人类社会。

蒙台梭利博士是对的,因为,特别是今日,如果任何一个人只适应一个国家,他便不被这个时代所接受。

在以前,适应只是对村落的生活。在我小时候,有一个村落的人曾经想过要去拜访临近的村落,甚至被视为如同登陆月球一般可笑和无用,因为他们住在那种每个家庭都必须替自己做每一件事的生活里。对他们而言,另一个村落大约有二十或三十公里远,已相当是外国了;而另一个村落的居民对他们而言几乎是陌生的,就如同住在非洲赤道附近的匹克米族对我们而言是陌生的一样。他们存着怀疑不信任的心看待他们。他们的态度可以用一句即使在现在小地方经常被引用的谚语来表示:"如果你要挑牛和老婆,就从你自己的村子里面挑",这意味着其他族群的行为举止和他们族群的行为举止是不同的，如果有一个人选择和其他族群的某人结婚,他们的生活对他或她而言必是困难的。所以在那时候,当生活被局限在一个小的社区,接受相同的思想和相同的习惯,要适应是非常容易的。这些村落的生活形式是一个极端的例子,但它温和且逼真地描述了存在今天的所谓发展中国家的状况。

在以前,只有一种遵守规矩的方式,那是根据传统和世袭的规则整理出来的。如同刚刚我所提及的村落这个例子,他们是在意大利,规矩是基于天主教伦理,如果有任何人做出一点逾越规矩的事……将会被全村落的人认为品性不端,会有多少人在背地里或当众谈论它! 如果一个妇人(不同于男人,因为男人的个性已经习惯于讲脏话)在争吵中很生气地咒骂上帝或一些圣贤,她将会遭人唾弃。这种情形就像如果某一种稍微异常的行为发生后的结果一样,而且这些行动并不会仅局限在其本身,同时也会影响到村落里其他的人。幼儿在这样的环境下,对于适应,有一个确实的引导方针。那是为什么那些以前的人,在心理上非常正常非常平衡,没有任何事物可以动摇他们。他们的人格是健全的,他们的忠诚是坚固的。

如果你拿以前的状况和现在的状况做比较,我们的幼儿要遵循哪一种标准? 因为现在,我们的村落便是世界,因此幼儿——如同我说的——是成长在各种相冲突的观念意识的冲击下。幼儿听到一些人说"这是错误的",但是其他的人提及同样的事时仍会很权威地说"这是再正确也不过了",对我们这些不幸的小孩来说,他们应当相信哪一种?

就精神层面来说,社会规范的安定性,对于幼儿的心理健康是重要的,如同我们站在地面上,地面的稳定性是重要的。

这个结果是什么? 想想看你的不安全感。如果你每一步都走在表面上看似坚固的地上, 它看似坚固……然而你随便顺着一个方向走过去……砰! 你跌倒了! 然后你转向别的地方……砰,你又再跌倒……过一阵子,你会感觉到:我不知道可以往那里走,在我非常需要找一些附着物来指引我的生命时, 我不知道我的脚步要往那里走。

在如此的状况下,甚至很多人会觉得是困难的,失去平衡。

那就是发生在现在的事。老、旧的心灵上的价值正被袭击,新的观念意识正努力的反对它们,而且新的观念意识也彼此互相反对:似乎没有一件事是确实的或永恒的。对我们成年人来说,这已经够糟的了,若对大部分的幼儿来说更是困难!无论有多少心理学家的帮助——如果状况依然如此,而且如果我们教育家再不设法帮助这些幼儿,为他们塑造一个基本的行为,在这个外表混乱的表象之下去具体化一些稳定的事实,幼儿将很难增长生活的信心。

到目前为止,方法是被考虑的……你是知道的,两、三年以后,每一件事都成为老旧保守的。那意指着什么?我们教育家不知道我们正在做什么,我们也感到不安全,并且在寻找我们难以发现的路径。因为不管我们怎么试,都是失败!但是有一件事我们从未失败:那就是蒙台梭利方法……如果你能像蒙台梭利博士一样了解它。

我应该告诉你们为什么,因为那个方法的本质:"帮助幼儿的发展,以及帮助幼儿在他现在的状况下能够适应他自己。"

真的,环境状况会改变,但某些事是无法改变的。而那些事正是蒙台梭利博士所强调的。他们是非常相同的事,能使人性由原始的低水准提升至现在的水准。

因为,例如谈起衣服,有些不是很重要的因素,例如 H 线,或窄袖口,或其他和流行有关的事。但是就是因为寒冷的存在,所以唯独不会跟随流行衰退的就是衣服本身。有什么是可以消失的:独特的衣服造型,准备食物的方法,或晚餐时所供应的精致餐盘。到了我们中年甚至年老的时候,便有人可以负担得起精致的晚餐。这个改变已经进入食物的领域,几乎到处是庞大精美的食物。但是有一件事没有衰微,那就是吃。

同此,假如在教育上,我们只针对什么对生活是重要的和什么对发展是重要的来着眼的话,蒙台梭利方法将是永远存在的。因为那是它的基础。就如幼儿最初不会走路后来便会走了一般。

那么,我们可以确信地期盼人性有惊人的提升,尽管人们总是发现幼儿将还是幼儿,但是为了达到二十岁,新生儿将必须再生存二十年。

人类的身体——在成长,发展,换牙,不是能够预测的——在下个黄金时代,他们将创造新的方法。

从精神层面上说来,它是相同的事。有一定的基本因素是不会改变的,可以改变的是你心里面所想的一些内容。是这些因素使得幼儿无论在任何社会的规范下都能适应。这所有重要因素便是今天心理学者所说的"人类倾向"。这些倾向对于成就他们的工作,可能是有帮助的或有害的。例如,其中一种人类倾向是讲话,但是大自然并没有指示他用什么语言来讲话。而选择哪种语言来讲话要视他幼儿时成长的社会而定。的确,如果是在明日的荷兰,因为希腊语取代了德语,我们不能强使幼儿学习德语,因为在他们周围的人讲的都是希腊语。如果我们强迫幼儿学德语,便等于要求幼儿违反大自然:幼儿将不可能努力学习。幼儿的倾向反映出:为什么只因为我的祖父讲德语,我就应当学德语?幼儿会感到很多今日幼儿对古典语言的想法:为什么只因为我们的祖先给我们一些文明,我们就必须在学校研读拉丁文和希腊文?

但是当这些倾向没有恶化的话,我们来看看这个自然的倾向是如何。现在想想你们自己的小孩,在学校或在家我们没办法阻止荷兰的幼儿去学德语,即使我们想要阻止也没有办法。

婴儿出生后过些时候,他们开始牙牙学语,然后开始讲话。因为这个讲话的因素是天性:也就是学习讲话的因素和想要表达自己的因素。不同历史上的环境状况将提供不同语言的方法,而这个生命的倾向可能改变,但是倾向本身不会改变。

那带给我们另一个关系到人性的事实。特别在生命生存的领域,人类是如此迅速地优越于其他的造物。所谓迅速是因为,目前估计地球有 30 亿年的历史。自从人类有文化以来——也就是生活在城镇的人类有 5000 年历史。5000 年和 30 亿年比起来是什么?只是弹指之间罢了。

考虑一下,在不同的时段,人类如何在他有限的一生中去达到他所占有的地理位置。

因为人类比爬虫类更有势力。的确,爬虫类动物的数目和能力没有缺少。当它们被巨大的哺乳动物跟踪,甚至有些是凶恶的哺乳动物:例如洞穴里的熊、长毛象、剑齿虎等等。渺小的人类却生活在它们之中。然而我们发现几年之后，人类可以骄傲地说："我是胜利者。"

这是怎么样发生的？你现在大概会问，这些和今日教育上的问题有何相干？那是因为在研读人类如何成为优越的时候，人们发现那是因为人类倾向带来的胜利。如同我们已经看到的，倾向没有改变，人类倾向是由于遗传。婴儿在出生时就持有这些潜能，在最适当的时候用它们来建立一个个体。在人类成长这些倾向期间，借由蒙台梭利博士说的"敏感期"的帮助，采取不同的方向。假如教育被视为帮助实现幼儿最适宜的潜力，如果人们可以发现倾向和敏感时期，而且能够给予辅助，人们必然将找到安全和永久的根本来作为教育的基础。因为我们所寻找的就是在教育上所能依赖的稳定基础。让我们试着去发现人性的文化发展，这个人性是永久的和根本的倾向，使得人类优于其他动物。

让我们想想这些动物。你知道吗？从某个观点来看，身为动物是非常好的。它们的烦恼比我们少多了。它们不会受到观念意识的改变而困扰，因为它们从来没有观念意识。大部分的它们从出生开始就完全知道要做什么。如果你想想看人类为了发展身体，而专注在一些没有必要的努力上，你就会很清楚地了解，其他的动物因没有这种多余的努力，它也就不会有心理压力。我们的身体从胎儿开始直到死亡一直在改变。存在我们身体的一些东西导致了这些改变，这是我们无法控制的。我们的鼻子也许比别人的大一点，我们的眼睛和邻居的眼睛各有不同的颜色和形状。对我们来讲，那已经足够了。人们也许对自己的样子感到不满足，那是另一回事！但你不必说："现在我必须创造一双腿给我自己，现在我必须发展身体其他部位。"那是没有必要的。我们没有必要为它担忧，那就是我们和动物不同的地方。一般对动物来说，在精神面上，那也已经完成了。动物自己有一个方向告诉它们在任何环境下如何行动，而不必烦恼。例如试着喂给牛一块肉，如果你了解它的反应，它似乎在说："不对不对，我喜欢的是草。"所以，它有一个非常确定的方向要做什么，所有其他的动物也有如此一个与生俱来的心灵能力，它们有一个本能使它们表现出行为聪明。但是如果你仔细想想，你将会了解到每一种动物的聪明是只有在它们的动作范围才是有效的。这意味着它们的智力和它们的聪明受限于一个既定的模式。

此外,它们生存的可能性也受到限制。例如,假如我是一只牛,我找不到合适的植物……我该怎么办?我不能做任何事情!我必定会死亡。如果你把你的研究放宽,你将会发现对于所有的生命,包括植物和动物,这是个事实。限制你自己到最后,你将会发现对牛而言什么是真实的,它对于所有的动物就是真实的。每一种动物,有一个特别的指针,它们应当吃什么食物,它们行为举止应当如何,它们应当如何移动等等,每一件事都被赋予。想想你自己的生命,当你处于重要冲突利害关系中,必须做困难的决定时,你是否觉得:"噢!如果我是一只动物该多好!"多么平安的感觉啊!我,是一只动物,我不必担忧每一件事情!我的父母带我来到这个世界……上帝本能的告诉我怎么做,所以我就怎么做。你看,动物的生活比起我们的生活是多么好啊!然而我们从不知道该做什么!我们是一种从未感到满足的动物,我们从未对我们自己的后代停止尝试新方式。当我们一代一代传下去之后,这种不满足感变得越来越迫切。从这个观点看来,动物比人类具有一个很大的优势,但那不是全部。

其他优越于我们的动物,无论怎么样努力,它们必须保护和繁荣它们的生命,无论它们必须引导哪一种生命——在它们自己的身体内具有所有它们需要的器官。这个意思可以经由以下的例子被了解,例如,我出生是一位司机,那意味着我自己的身体是一部我必须驾驶的车。

在所有动物的体内,有维持它们自己的生命所需的器官。譬如,啮齿类动物的牙齿有凿刀,所以它们可以撕裂食物;老虎的体内也有它们的武器;而北极熊有非常厚的毛皮,甚至当它在冰点以下的气候,它都还能安然自在并且露齿欢笑。它似乎在说:"我为什么要介意我生活在冰天雪地,因为有了我的毛皮使我感到舒服温暖,上帝已经给我外套大衣了。"

但是我们人类呢!……可怜的我们!……我们没有得到任何东西!

　　蒙台梭利博士过去常常说:"如果动物能得到像我们一样的智慧,当它们在冰河时代看到人类出现在这个世界上,它们会说:这个创造物是被上帝剥夺继承权的。"

　　的确,有谁可能想象更糟的状况吗?天气寒冷时,人类没有得到外套。和现在的我们比较起来,以前的人类是微弱无力的,被可怕的敌人包围在一个敌对的环境里。他没有武器来对抗敌人,也没有可以征服环境的器官。他没有老虎的爪子或兔子的牙齿;天气这么寒冷,他也没有厚的毛皮!如果他饥饿到了极点,想要像狼一样抓一只兔子,他必定会被远远地抛在后面,因为所有的兔子都跑得比他快。在没办法抓到兔子之后,他想抓野牛,野牛只需把头对向他——然后,……他就没有办法了!可怜的人类:渺小、微弱,赤裸裸和没有武器,会在冰天雪地打颤!

　　而且,不仅如此,他还有一个更大的灾祸。

　　他有后代!

　　稍微想想看:一个不会成长的后代!我,我是一头公牛或母牛!在我的小牛出生后两个小时,它开始用它细长的腿在我的身边走路。它知道去哪里可以找到食物,而且它得到了。如果我做个信号给它——哞!……它有足够的智力去做我说的动作:"是的,妈妈我来了!"

　　但是人类!他的后代是一个小块肉团,完全没有智力,而且是完全无助的!他不能使他自己被了解,也不了解任何事情。他是如此软弱,可怜的小生命!他必须花上几个月才能够自己跨出第一步,而且那是最起码的啊!

　　他依赖他的双亲不只是一年。对于高等动物而论,或者两年、三年,或四五年!(我认为我们现在的父母,甚至必须继续支持他们的小孩超过二十年)由此任何人可以想象到,人类的新生儿出现在地球上是多么可怜的景况。

　　像蒙台梭利博士说的:"如果曾有任何动物有权利向上帝说:为什么你放弃了我?——那必是人类!"

　　人类被遗弃在冰河时期的世界上,没有衣服,没有武器,只有一个无法抛弃的这块肉团。为什么?因为他是多么喜爱啊!

那是有趣的部分,人类禁不住喜爱他自己!

在如此状况下,人类可以做什么?不是放弃和死亡,就是努力发展他的潜能和生存!再没有其他的方法了。

而人类做到了!面对如此绝望的状况,几秒钟以后——在地理位置上来说——他能够对剩余的创造物说:"我是主人!你们全部都应该服从我!我可能没有与生俱来的衣服(毛皮),我可能拥有的后代,你们也许会认为只是一种微不足道的东西——但是,我有我的小孩,而且我还有我自己!在不久的将来,你们全部都必须服从我!"

现在让我们想想看,什么是"我自己":它是一个具有无限变化潜能的复合体,它基于一些根本的成分之上。它们的其中之一是头脑,另一个则是使他能够达到双脚站立,所以他的双手可以被释放出来,能够自由地做自己想做的事。最后,也是最重要的,造物主让他能有心灵的自由,而那对其他动物来说是被限制的。

你看,重要的是人类已经被赋予心灵的自主权。人类并不像动物一样有本能。这不是一种惩罚。事实上,人类已经从奴隶的身份被取回,外形上,人类也许显现出不幸中最不幸的样子,因为他没有得到任何东西……但是那些悲怜他的人,忘记有"智慧"这个礼物,大概因为这个礼物是肉眼看不见的。

人类用智慧来做什么?你觉得在这个原子学时代,拿原始的人性和我们来比较,是相隔遥远的吗?如果你认为如此,那么让我问问你:今天当一个人开车去一个陌生的国家露营,他会怎么做?

在看到一个舒适的地点和在张挂帐篷之后。他会做的第一件事,是试着找寻与帐篷有关的方位,以便他能找到路回来这里。接着他开始四处探险,观察附近的环境。那就是人们最初选择一个猎场时必定会做的,因为如果他没有找到他的方位……现在我们不可能在这里。

如果你读过蒙台梭利博士的《童年的秘密》,你将会发现,她描述方位为出现在幼儿期的第一倾向之一。当她在说明这个敏感性时,她描述了一段关于一个幼儿和一把雨伞的故事。那是什么意思?它意指一个幼儿成长到一定的年龄,如果某些东西是习惯性的被放在某个特定的位置,他就想要在那里找到这个东西。因为他已建立方位,如果这个幼儿建立的固定物被改变地方,对他而言就如同我已经住在这间屋子二十年了, 突然有一天我正要回家吃晚餐时,发现屋子不在那儿。

屋子不见了!我向熟悉的人询问,他们回答不知道。对他们来说,这个事实似乎是没有影响的,但是对我而言却是非常可怕的。我已经失去了关系照应,我觉得我再也不能相信自己了。我确定我的屋子在那儿,每一个人却告诉我它确实不在那儿。他们觉得即使它不在那儿也不要紧, 他们还用奇怪的眼光看我,因为我非常烦乱。没有人能了解这间屋子的消失正危害到我内在的方位感,这种方位感能够让我找到一条出路,也就是如果我走错了,我可以折回再找到正确的路径。如果这个经由方位感带来的安全被移走,那么人们不仅是感到迷失在城市里,而且是迷失在自己的意志中。

那是为什么蒙台梭利博士要在看起来似乎是徒劳无益的细节上仍坚持她的看法。她体会到幼儿外在秩序的理由和重要。她有这种接近事实的直觉,而这种直觉告诉她,初生儿的第一倾向是要在他内心建立他自己,使他不仅能够和他周围环境建立起关系,而且让他能够在未来的生活中提供某种方针去面对所有事情。这些事情包括了人类最有力的冲动以及帮助他去找到任何东西来满足他的需求:这种需求就是探险。人类必定已经在每一个文化中探究每一样东西。例如,只要想到与食物有关的事物,人类必定已经探究每一种可能性。你可以看到一个例子,假如你想想看如今在世界上,不同地方的人有不同的饮食习惯。例如在非洲某些人吃蝎子,在意大利我们吃蜗牛和青蛙,而在某些地方甚至有人吃虫。如果你仔细看看人们必须获得的食物来源,对于那些来源,人们会说:"不要吃, 它们是有毒的!"他们怎么知道那些东西有毒呢?因为有人——可怜的伙伴——在过去必定已经尝试过吃它,而且已痛苦地死去。所以如果我们现在,知道什么东西是好吃的和可以吃的,那是因为在过去,人类在饥饿的情况下,探究了每种动物和植物,看看是否能帮助它生存,而且同时期望吃过它的人不会死去。

能够了解到我们是无数人的继承者,真是令人感动。那些人经由愉快的或是非常恐怖的经验,为我们找到安全的食物。多少人必定已经因此而丧生,我们今天才能够说:"小心那个东西!"

这种探险不只在一方面。今日文明的水平证明了整个人类生存期间的事实。人类由于他自己的需求,已经探究了在他周遭环境中的任何事物。因为那是最不寻常的部分,就如同我之前所说的:上帝给予每一个生物任何种类的生活,只要是能够有进一步的发展,而第一件事便是要维持生存。也就是说,每一种生命都必须服从他生存的特别规则。这个服从是根本上的。只有在人类可以履行这些规则,人类才能成为崇高。因为甘地(印度民族运动的领袖)他自己必须吃——即使他吃得非常少,即使他常常戒食,只要他满足这个状况而且维持生存,他可以表现他特别的精神,但是他死去以后他便消失了。像每个人一样,甘地的精神,这位现代苦行僧,必须拥有一个身体让心灵可以居住。

这是多数人会忘记的事情。人类不仅有心灵,我们拥有肉体、意识和心灵。为了达到极高的精神成就,人类还必须注意到:"你是一个具有肉体和肉体上需求的创造物,而且只要你尊重这些规则,将能够维持你们肉体的存活,你的意识和你的心灵将具有独特的意义。"无论文化已经建立,不管它有多么崇高,它必须有开始——和永远必须维持存在——低级的、脏污的、具体的基本,也就是说:为了存活,你必须吸进空气。为了你的精神灵魂,这些是第一个绝对必要的状况,缺少了它们,你的精神、你的心灵、你的智慧将会消失。

当人类出现在世界上时,周围环境提供了什么可能性,让人类可以满足他肉体的需求?那就是人类必须去探险。所以,如果是天气寒冷,当然,人类会说:"我必须去探险,一直到找到我觉得温暖一点的地方。如果我找到一个寒风吹不进来的洞穴,我一定非常喜欢那个洞穴,我将会尽量使它变得更温暖。如果我发现某个地方,在夏天时,会有可口的草莓;我知道以后每当夏天,我可以回到这个地方采草莓。如果在一年的某个时间,我发现在另一个地点有其他种类的食物,我会在一年的那个季节回到那里去取得食物。"

　　渐渐地,每个人群设立一个适于他们周围环境的经济体。当人类从本能,没有引导,没有武器和工具埋藏在他们的身体,去有效地应付各种情况,人类必须自己去建立它们。在此,人类非常有用的倾向是去观察和撷取要点。撷取要点是人类的自然倾向之一,我们也可以在幼儿身上找到这个倾向,甚至如果,在撷取要点的表现方式上,大人和幼儿是有所不同的。

　　在人类可怕的贫困中,最大的财富便是推论的智慧,这是其他动物所没有的。这个智慧能够使他的撷取要点成为有用的。例如,当人类目睹一匹狼想要去杀害母牛身旁的一头小牛,如果他看牛角刺入狼的身体而且狼死了,他必定会想:"假如我有像那样锐利的武器该多好,如果敌人来了,我可以拿来刺他!"

　　或者,如果人类看到兔子有它特别的脚,用来挖洞穴或挖地道,他必定会想:"我真希望我也可以那样做。但是当我试着去做时,我的指甲断了,我的手指流血了!"当人类看到那时的长毛象……它们有如此巨大且厚厚的毛皮,甚至在刮着大风雪时,它们看起来仍然那样温暖。

　　对人类来说,寒风刺骨,对长毛象却一点也无碍。多么可怜的人类,将会被冻死,他们必定非常妒忌那些长毛象。有这样的智慧可以摘要和推论来证实它的价值,那便是最好的天赋。他希望自己能够拥有所有他没有的东西:"即使我的头上没有角,我希望能够拥有可以刺穿的东西。即使我的脚上没有爪,我希望能够拥有可以挖掘的工具。即使我的身上没有厚重的毛皮,我希望能够拥有可以覆盖我身体的东西。"因而他创造了一些原本并不存在的东西。为什么他会成功?因为人类被赋予想象力而且知道如何去使用它。人类是否看到一只鸟拍拍翅膀,从这棵树飞到那棵树,飞到枝头上,拍拍翅膀——折断了它的脖子?没有,人类所做的是使用创造性的而不是虚无缥缈的想象力,从无中产生出来,成为存在而且可能是对人类特别有利的。

　　而且理解是什么东西让兔子能够轻松的挖掘:因为它有尖锐的爪子——人类会想:"我将找一块木头或一块石头,而且做出一个尖端,那么我便可以用它来挖掘。"那就是人类所做的。为了要这样做,他必须修饰这个石头,也就是说,他必须"工作"。所以你看看,动物和人类的不同在哪里?动物是一个肉体,只具有很少的心灵便足够满足它的肉体。相反的,人类有一个微小的肉体——但却有一个伟大的心灵。为了要表达动物和人类之间主要的不同,也许会说,人类是一种心灵,身体供之驱策,动物是一个发达的身体,心灵供之驱策。心灵对人类而言是重要的一部分,肉体只是当做一种媒介,而心灵却是时常被需要的,是心灵引导着人类而非肉体。那个心灵有它自己的生活及需要,并不是只有肉体上的饥饿感或寒冷感迫使着人类,一旦动物的需求已经满足了,它们便会觉得舒服。对人类而言,饥饿和寒冷是精神的活动来源如同身体上的一样。一旦这些需求已经满足,肉体便满足,但精神上未必。对于精神上的满足,他们给予建议、启示和问题。这些之于心灵,如同饥饿和寒冷之于身体,直到他们满足为止,他们是不会有和平的。即使当身体上的饥饿已经满足而且恢复温暖,精神上仍然继续制造思想意见。这些使人类没有休息,直至身体上的努力创造出一个可行的实体,而这个实体正是他心里所想象的。

这是如何做到的?有一个主意想法和双手用来供给实体,而这个实体正是他心里所想象的。但是手不是无生命的器具,就像其他的人类,他们必须学习。所以我们人类的某个部分,也就是心智,必须第一个控制和发展,使它们能够做我想要做的事。为了达到某个目标,我们可能想要做一些事情,但是当我注视这个结果,我可能发现那和我所期望的不尽相同。

假如我是一个古代穴居的人,因为住在森林里,身边有很多木棍。如果我藏了一个锐利的石头在木棍的裂缝之间,使它变成一个能发挥像牛角一样作用的东西,因为它有一个尖端,它也是硬的,所以它将能够刺穿一只动物。我照着做而且我成功了。我杀死了我想要杀的动物,而且我从远方就可以杀死它。你料想得到我的感觉吗?我甚至比牛更加幸福,因为我可以丢掷这个武器,而牛却没办法丢掷它的角。你看,那就是不同之处。

之后我获得了信心,我替自己做了更多尖锐的棍棒。有一次,我将一支棍棒丢掷出去——你猜发生了什么事?这支棍棒飞向左边而不是往正前方！不论我再怎么丢结果都是一样的。为什么？为什么？这件事已经进入我脑海使我没办法休息。"为什么？"在夜里我没办法睡着，在白天我仍是心不在焉的，所以我必须研究研究。最后，我终于注意到飞向左边的棍棒是弯曲的，而飞向正前方的棍棒是直的。那是为什么棍棒会飞向左边而不是往正前方的原因吗？我不知道，但是我想知道。所以我一直实验，然后发现确实是这个原因。我知道了，现在我满足了，现在我已经成长了。但是一个新的问题又出现了，如果我没办法找到一支直的棍棒，我如何使一支弯曲的棍棒变直呢？

当我还忙着想这个问题时，我被给了一击。我以为我做的这个武器会结合在一起。但是这一次丢掷，石头却弹走了。我要确定那样的事不会再发生。以后我将把石头和木棍绑在一起，来代替原先仅仅把石头夹在木棍的裂缝。

为了要这么做，人类必须发明夹具，找到最适当的材料来做。

所以经由"控制或失误"，人类朝向自我完备。但是那也意指着活动、工作、操作、移动和经验。只有拥有它们，才能"控制失误"，使得不只是身体的能力，还有人类智慧本身的成长，从头到尾的了解，这难道不是自我教育的过程吗？

过去什么是事实的，今天它就是事实的：为了能延伸智慧和获得更多的了解，经验和活动是必要的。

你能了解为什么我要告诉你蒙台梭利方法将永远不会被废止吗？因为蒙台梭利博士强调去注意那些特别特征的需要，这些特征已经在整个历史上被证明为是属于人类的种种倾向。提供知觉的探险和感官的教育，蒙台梭利博士，甚至在她了解这个理由前，她说："为了智慧的发展和成长，幼儿必须被允许自然而任意的活动，用他的双手去工作，而且被供给控制失误的机会"。

让我们继续看看，蒙台梭利博士所描述的，是否在人类发展和幼儿发展之间有更多触点。人类很快的发现到正确精密是必要的，因为其他方式并不能反应他的目的，所以，翻开人类的历史，我们发现到，经过旧石器到新石器时代，石器制品变得优美而且匀称。

人类变得有效率，而且确实有效率了。

这些成就，这些进步，意味着人类已具有一个"数学上的心智"！他必须正确地计算重量和形状，才能够使器具更有效。那难道不是说明了人类不但赋予一个数学上的心智，而且还能够驱策它？

那是另一件蒙台梭利博士指出的事，而且她是唯一一个把这个事实用在幼儿教育上的人。其他的教育家和心理学家甚至到今天，仍谴责蒙台梭利博士这样做。

带他们来参观蒙台梭利教室是没有用的，甚至当他们看到幼儿全神贯注的沉浸在里面，大部分心理学家否定数学对幼儿而言是有趣的或有用的。他们会说："不，不要让他们接触数学，如果你这样做，将会有可怕的结果。"然而，如果数学是可怕的，它们不可能会存在，它们是人类的创造物。如果数学已经被拿来应用，便意指着人类的本性中朝向数学概念的倾向是存在的！人类为了达到他的目的，在过去以及在今日都会用到数学。而你们蒙台梭利教师知道如果能像蒙台梭利博士教的一般，把数学带进幼儿的生活中，幼儿会非常欣喜的。

有一个附加的事实能够证明蒙台梭利博士是正确的。如果任何一个人研读人类的起源，它便能清楚的突显出来。

你看看，我可能有一个经过完整制造的器具。有了它，我可能想要达到某个目的。我从事一个我认为对这个目的是有必要的行动，但结果却不是我想要的。就拿网球来说，我有一支好的拍子，我试着去学习，我看到球飞过来了，我挥拍……而球却从我头上飞走，我甚至没有触碰到球！在我能够打到球以前，我花了一些时间练习。当最后我能够打到球了，球却飞到与我想象不同的地方。

为什么会这样？是因为我不够强壮吗？但我是很强壮的啊！那又是为什么呢？

它意指着我的动作是一回事，我的意图又是另一回事。我不能控制这个动作。在这样的事例下，如果人类真的想继续下去并且达到更精通熟练，他们会怎么做？他们会做一连串的练习，而且持续直到他们精通了这个动作。

之后，他们是快乐的。

那意味着什么？它意味着"反复练习"。也就是说，我重复再重复直到能达到满足我心灵的完美程度,在这个网球的事例中,就是指直到我能够随心所欲地控制球的方向。

因为我对自己不满意,而不断努力直到自己能达到某个完美的程度,这难道不是一个朝向自我完备的倾向吗?这个程度也许比别人的低一点或高一点,但是事实上是我正意图朝向完美。

从无开始,人类已经达到今天我们享受的文明的水平。这证明了从最初,人类这个倾向便在作用着,而且他必须经历类似我刚刚所描述的过程。

至于幼儿又如何呢?

阅读蒙台梭利博士的书籍,从中你会发现这样的陈述:"反复练习对于幼儿是必要的",还有"幼儿有一个朝向完美的倾向"以及"为了使幼儿能够有意识地控制自己,正确精密是必要的"。

那带给我们另一个要素——自制,这对人类是非常重要的。为了达到战胜环境,他必须同时要征服自己,也就是控制自己直到他认为能自制的程度。

你可以想象一个原始人类,蹲伏在森林里的一个水坑附近,他非常饥饿,等待着要杀一只动物来吃。他看见一只鹿来了,他兴奋地跳起来大喊:哈!它终于来了!

再见!这只鹿闻声而逃了!

所以从现在起,他告诉自己:"即使有蚂蚁正在咬我,即使腹部绞痛,都要保持镇定,直到用武器逮到鹿为止!"

我必须做自己的主人。我不只要征服周围的环境,我也必须征服器具和去使用它,最重要的是我必须征服自己!现在你了解为什么蒙台梭利博士说,幼儿喜欢表面上看起来滑稽可笑的活动,像是"沿线走路"和"安静游戏"了吧?

因为幼儿不知不觉地感到:在这样的形式下,我可以控制自己,我可以凭意志的力量使身体去做我想做的事。

任何一个人能拥有的最大可能的满足,便是能有意识地征服自己,那时他将会感到无比骄傲和快乐。

让我们继续讲下去。在经历这么多的努力之后,即使当倾向是被引导朝物质目标而进行,并且你也已达到你所要的目标,下一步是什么呢？在这之后,你精神上会觉得疲倦吗？不,事实上,你会感到满足和快乐。

换句话说,如果你已经达到精神上的满足,你必定会感到快乐、朝气蓬勃、毫无倦意。如果你不认为如此,好吧,在你认识的人中有多少人,在工作了一天后下班一回家就说:"我好累啊!"难道你没看到,过一会儿之后,他们便开始从事他们的嗜好？如果他们真的很累的话,他们就会上床睡觉了。但是并没有;他们专注在他们的嗜好几个小时又几个小时,他们觉得快乐、满足和精神上的松弛。那不是正意味着并不是工作,而是他在工作里面缺乏兴致,也就是说,如果工作能够达到精神上的满足,一旦他完成工作之后,他便会觉得舒心,因为如此一来,精神所渴望的需求就被满足了。

因为在工作中,无法满足成就感。这种心灵状态,所有的不愉快会因为在一旦获得成就感后便消失,而正是这种不愉快感的消失,会带来心灵上的松弛。

这也是蒙台梭利博士针对幼儿所指出来的另一个事实,她说:"看到幼儿在经过工作一段长时间以后并不感到疲倦,他们看起来比工作以前还要快乐和有朝气,我感到非常惊讶。"好吧!假设有一个从火星来的人,只是从表面观察而并不了解在地球上所发生的种种事情,他告诉其他的火星人:"我看到有一个地球人增加重量,之后他看起来比以前气色好,并且比以前强壮。"其他的火星人就问:"是什么因素？"火星人回答说:"那是种深色的豆子,就是地球人所指的一种小东西。"假如这群火星人抓到这个人类,并且他们要这个地球人快乐和强壮,他们就会得到以下推论:假如一些深色豆子的重量能使这个人类更快乐和更强壮,那好,我们就拿一大包深色豆子,把它绑在他的背上,而且永远不让他拿下来,想想看,他会变得多快乐、多强壮啊!

这个人感觉如何呢？强壮吗？不!

这个人的感觉会是:疲倦、沮丧和精疲力竭,因为他正携带这些重量,而这些豆子却摆在它们不应该摆的地方。我又不能吃它,我只是被迫去承受它们的重量。

这就是为什么我会说:没有心灵的驱使就没有适当的同化,疲倦因而产生。强求的工作使人疲惫。如果人在精神上可以同化他的工作，也就是说，以一种满足心灵的方式来工作，因而工作便成为一种游戏，会使人感到强壮、快乐和身心舒畅。

让我们继续测试一种状况。假设他发现他自己在非洲，他就会利用非洲所提供的资源去建立他的经济基础。如果有香蕉，香蕉就会被拿来利用。如果有某些动物可以吃，它们也是可以被拿来利用的。

最后他觉得："我知道香蕉在哪里，我知道动物在哪里，我知道如何抓到它们，我知道危险在哪里，我知道任何我应当知道的事物，而且，在这里我找到我的安全，在这里我找到我的快乐。"

但是，假如你在今天，把一个已经四十岁的，而且已经非常适应他的生活习惯的非洲土著，带离他原本熟悉的地方，给他都市生活的快乐，一旦最初的新鲜感消失后，他就不再感到快乐，并且开始渴望家乡的生活。

为什么？因为他在那里成长。因为经过他们民族的文化教养和他们特有的规矩，他本身已经建立了一些类似动物本能的东西，也就是一种使他可以适宜某种周围环境的心灵。如果把他带离那个原本的环境，那他已习惯的心灵基础便会匮乏。过了一阵子以后，他便会说："允许我回去吧！我不喜欢这里的生活。这里的人说的话和我以前生活那地方说的话不一样，规矩也不一样。我不要留在都市，我喜欢我的家乡，那里才是属于我的地方。我发现只有在那里我才会感到快乐。"人类使自己能够适应的这个情形在任何地方都会发生。

在爱斯基摩人生存的地方，他们没办法适应香蕉，因为那里没有香蕉，但是那里有海豹、鱼和鸟，而且他们已渐渐适应那个地方，他们变得能够利用他们特殊的周围环境。他们知道在那里可以找到最好的东西，他们知道如何克服环境和克服寒冷，这是多么大的成就啊！在那个他们已经发展了某种文化的地方，这些人找到了最大的自我满足。

为什么？因为爱斯基摩人已经使他们自己能适应那个环境。并且，在他们这个例子里，如果你告诉他们其中一个人："这里太冷了,让我们去撒哈拉沙漠,或让我们去其他比较暖和的地方。"那个人会说:"其实我喜欢这里,天气很冷很好,我不喜欢热的天气,我想要待在这个地方。"此外,如果你给他蔬菜吃,过一阵子后他会告诉你:"我不喜欢吃豆子,我想要一块牛排,那才是我想要的!"你看吧!因为那个人已经属于某种民族,而那个民族已经适应了那个特别的地方,并且已经发展出特别的文化。

类似的情形,无论他们到达什么地方,人类都能够适应。你看到人类在历经了贫困之后反而获得的利益。有一个爱斯基摩人觉得很冷,他看到那儿有一只白熊,他心想:如果我能够穿戴它的毛皮就好了,之后,他杀死了那只白熊而且披戴它的毛皮。到了夏天,这个爱斯基摩人觉得很热……他想:"我可以把这件毛皮脱下放在一边。"你看到人类的这一优势了吗?因为熊不能那样做。那只熊,即使天气酷热,它还是得穿着那件毛皮呀!

那是为什么人类最缺乏的地方,身体上四肢的缺点,用直觉去感应方向的缺点,这些人类最缺乏的地方带给人类自由,使人类能够在任何地方都能适应他们自己。然而,如果你把长颈鹿带离它们生长的环境到达北极,长颈鹿就会因为无法适应北极的环境而死掉!对所有的动物皆然,它们只适应某种环境。如果你把它们带到其他环境,它们便会灭亡。以这个世界的观点来看,动物在各种感官上虽然丰富,但确实是严格地受到限制。相反的,人类在没有种种直觉的能力之后,反而被给予了发现这个世界的自由。

所以,这种很显然的弱势不是一种诅咒,反而是一种祝福。因为它就好像在说:"这个世界是你的,去拿吧,你自由了!"

假如男人和女人没有为爱而结婚的情形在那时候广为盛行。过了一些时候,等到他们成为父亲或母亲时,他们至少必须互相容忍。甚至现在,在某些国家,男人和女人结婚前并不认识,甚至结婚以后他们常常不喜欢对方,但是有了小孩以后,他们通常会互相容忍。有时候若不是为了小孩,他们便会分开,这是真的,但是由于他们都爱自己的小孩,他们便会说:"让我们好好相处吧!虽然我并不喜欢你,但是……又能如何呢?我爱我的孩子啊!"

即使在现代生活形态简便的人是如此,而且这对离现代生活形态遥远的人来说更是如此。从有小孩的这个事实开始，不同的问题必然已经出现。你看看，在以前那个时候没有保姆。母亲必须走到哪里都带着孩子，因为她的孩子如同一个无助的小生命。当她去做任何事情时，她不能丢下她的孩子。那时，家庭最好的住所也不过是一个洞穴，这个洞穴没办法像我们现在的房子一样有门可以关起来。同时，有很多大型的哺乳动物：像熊、狮子、老虎、狼等等。在那样的状况下，如果把小孩留在洞穴里便意味着……再也没有小孩了。所以母亲会觉得："我必须带着我的孩子。"而当一个母亲必须走到哪里都带着她的孩子，将会发生什么事？这个小孩将会有一个移转的方法，允许他观察周围环境和在这个环境里他的族人的所有活动。这个孩子永远存在那里。当母亲去取水，小孩也和母亲一起去。当母亲回到洞穴开始准备煮食，小孩总是在那里看着母亲工作。

当父亲带着有趣的游戏回到家，小孩在一旁看父亲怎么做。在一些仪式祭奠的场合，所有的人聚集在一起，小孩也在那里。所以，小孩成长在目睹了所有的一切之中。那意味着，所有的环境和社会如同种子一般播在幼儿感情这块肥沃的土地里。而且不知不觉中，没有被发觉，他便成为团体中的一员。幼儿从他的无助中获得，那也就是益处之一。其他的益处由一些事实而来，在出生时，骨骼并没有完全硬化，婴儿的头颅尚未关闭，所以它的空穴可以扩大。当所有脑皮质的细胞呈现，但尚未完成，他们可以在这样的环境下完成他们自己。所以你看，不管是现在或过去，环境的印象是被建立在幼儿的大脑皮质细胞里面。

你可以想象，为了适应，这有什么好处吗？

幼儿的无助也影响了父母。

母亲必须照顾小孩，父亲必须供给食物。于是他们开始分工合作。如果没有这个小孩，父母亲的分工合作不可能这么自然这么容易地发生。父母亲为了要在一起并且想和对方沟通，他们试着用手势来互相了解，但是那样没办法深入沟通。所以，过了一阵子他们必然会同意一些事情，像是：好吧——当我说"邦把"，那就表示水。后来，如果他们其中任何一人听到"邦把"，另一个人便能了解他指的是水。这不是很聪明吗？经由协议，一些声音的组合便代表了特殊的意思。因而有了语言的出现；因而有了沟通的出现，而且是心灵的沟通。即使在今天，我的心灵，藉由发出的一些声音，在你的脑子里产生一个确定的我想要告诉你的讯息。单单是藉由人们同意在什么意义下给予某些我们能发的声音的组合，我们的心灵便能够相通。

如同我们在一出心理性电影里演奏一种乐器。然而如果你想想看，这个移动的图案并不是一个真正的电影，除了从我嘴巴发出一些声音之外，我没有做任何事情。而藉由这些声音，你便能了解所有我的想法，那难道不是心灵的沟通吗？想想看！心灵可以转移感情，所有智慧的产物，所有推论的结果，仅仅因为人的嘴巴可以产生这些声音，这难道不具神奇之感吗？

而且如果不是因为有小孩，那么是谁把这个社会最初的核心聚在一起。如果是这样的话，将不会有沟通的可能性，男人和女人会导致分离，并且大概只能维持在动物的水平。人类也许从未能够理解它的潜能和表达人类的精神层面。

但除此之外还有另一个好处。因为即使第一个小孩大约在 10 或 12 岁的年龄，如果他被强迫得养活自己，他已有能力这样做，而且在当时已有几个其他的小孩跟着而来。因为那些人有了自然的天性，所以小孩就会以自然的状态一个接一个地出生。在这样的结果下，只要父母的年龄允许，就永远会有一个需要照顾的小孩，所以社会在这样的情况下持续成长。因为即使一个 12 岁的小孩没有受到好的照顾，他也会离开他的家庭，在一个充满危险的世界里独自生存。安全感来自于聚集在一起，所以，当时间到了，他们就会结婚。他们会讲只有他们那群人懂的语言。他们会有一些其他的人所没有的传统，而且会在习俗中融入一些其他的项目，以使他们维系在一起。所以，这个对他们的后代、兄弟、姐妹所引发的共同兴趣以及在精神层面上沟通的可能性，不仅仅造就了群体及群体的经济，而且也创造了群体的精神。在每一个环境下，一定会充满了各种事件去采取一个特别的看法，塑造情感、制定规则以及各种仪式典礼。借由他们的智慧，当然他们已经克服了很多事物，但是也有某些事情是人类无法征服的。例如,当雷电击中一块石头,粉碎后,这些石块把它们当中的一些人埋了起来……这种属于天灾的事情,他们没办法克服。

如果是遇到一只熊,人们可以逃跑,也可以捕杀它。但有谁能控制由闪电释放出来的火花呢?

那个时候在北方,太阳消失之后要经过很多天才会再出现,天气越来越冷,日子越来越难熬,动物都消失了,是什么看不见的力量在发怒呢?那时的人类必然会感到:"啊!让他们回来吧!无论你是谁,无论你在哪里,不要生我们的气。"

所以渐渐地,这些人类不可能征服的巨大力量,对他们而言变得非常的真实。这大概是神开始出现的缘由。几乎每一个古老的宗教,人们都发现一个太阳神和一个雷神,还有其他不同的神,他们都和大自然有关,也因为在各种慈悲的环境下,人们才会觉得神的存在。

这些神带给他们什么?带来很多必须遵守的法律以及让他们觉得他们受到特别照顾所衍生出来的感恩,当然还有一些奉献的仪式去取悦神。也就是说,在某些特殊的时候将会有牺牲品。它意味着如果有一个神,人类所吃的某些东西必须提供给那位神。"这一小部分必须保留给神",渐渐地,某种宗教仪式就会建立在某个族群里面,去引导该族群的人们。

这样,只要有任何人做了违反族人的习俗和法规,便会产生罪恶感。如果一个人犯了罪,便会带给他自己或心爱的人不愉快,他会感到:"这是由于我犯了罪所造成的,我必须忏悔,而且不能再犯了。"而宗教、仪式、习俗以及基于这三个因素所带来的是非对错的感觉,融入这个族群的精神领域。这个族群最终的领域,甚至比实质上的更依赖。即使在今天,不论何人在某些特定的族群里,假如他们的所作所为超出他们的心灵规范,他们会感到不舒服的程度比当他们遗弃他们实质上的领域要更加严重。因为,你看看,如果一个人不喜欢实质上的领域,他可以走开,但是你仍保有精神领域。然而那也是麻烦之处,你没办法离开它。当人类犯罪时,你所谓的"良心"会一直来烦恼你。

如果人们出国处于其他族群之中，而他们的习俗做事违反了访者的良心，访者在这个新环境中将无法有宾至如归的感觉。

譬如，你要到某个地方，除了他们是食人族这个事实外，那里的人非常友善而好客。你仍会觉得："我无法忍受这种人类! 他们是恐怖的人。"从某些角度，印度人必定也对我们有所感。我们也杀死牛，吃它们，即使他们不说，他们必会觉得："喔，这些恐怖的人啊!"

一般而言，无论是谁要能找到唯一使他快乐的地方，是那儿有人思想象他，感觉像他，谈话也像他!

所以，一个族群，以精神层面上来说，当时胜过现在。"抽象"，也就是物质上不存在的，不是由食、住或物质上的东西组成，但却是精神上的——成为非常必要而且是一个人类举止的方针，就如同动物的本能一样强烈。因而，人类的行为会根据在由周围环境的资源所衍生出来的经济体以及根据在这个经济体上所创造出来的神。即使在今天，日本的暇夷人有一只"天熊"，因为他们靠食熊为生。在印度你会发现他们尊敬树木，大概是因为在过去，树木曾经带给他们一些食或住方面的好处。

在印度人心目中，牛是神圣不可侵犯的，因为他们感激牛为他们所做的一切，大概是由于这样，使神从国家的经济体里面被创造出来。

除了语言以外，必定还有其他因素使这些人能够结合在一起，因为，在他们族群外，没有任何人的思考方式同他们一样。没有人信仰和他们同样的神，因此，在每一个社区的人们必定会感觉到：这是我的族群，这是我信仰的宗教。

就是靠着这种感觉来维持和巩固这个族群，有了精神上的苦心经营加上成功的后代，这个族群变得更加壮大。他们特别的宗教和特别的规矩也变得更稳固。那是幼儿带给人类的另一项好处，如果不是因为有幼儿，这将不可能发生。

由幼儿而来还有另一个很大的好处，就是语言、习俗、宗教和它们所衍生的教派。蒙台梭利博士说这是因为幼儿特别的力量："吸收性心智"，这个力量是幼儿无意识所具有的精神上的特性。

给幼儿心理建设的真正指导方针是父母亲的态度以及族群的

态度。以下的说明也许可以让我要传达的意思更明了。幼儿被认为喜欢甜的。我有孙子，他们的母亲喝咖啡和喝茶都不加糖，这些小孩也想喝这些饮料，而且不加糖。不过我可不喜欢这些不加糖的饮料，孩子们还会取笑我。所以这并不是饮料是苦是甜的问题，重要的是人们脸上愉悦的表情。

幼儿想要在快乐中分享，而且渐渐地喜欢他们族群所喜欢的口味。每个地方的幼儿都是一样。即使在他们未满一岁，他们也似乎能探测他们父母亲脸上的表情，并且对他们所目睹的一切产生印象。如果日复一日，一个表情显示出若有什么东西参与会带来快乐，它必是好的而且幼儿也想要有它的参与。因此，他们渐渐地加入了这个味道。如果偶有不属于这个族群的访客发现它是苦的，那并没有什么妨碍。

例如在印度，那里的幼儿吃非常辣的食物。一位欧洲人第一次吃到这个食物，也觉得自己的嘴巴和喉咙像被灼热的煤炭烧着。但是那些印度小孩会说："啊！真是太好吃了！妈妈我还要！"然后他们的妈妈会说："嗯，好的，但是不要吃太多。"小孩又会说："不！不！""给我多一点！"

在思想上也是同样的道理。幼儿不会停下来想想是否合乎逻辑或是荒诞可笑，是否局外人认为他们是迷信的，是否外国人告诉他们的父母他们的思想是愚蠢的。任何事情只要是能被他们族群的多数人所接受为重要的事情，幼儿便会觉得："我想要它！"例如在某个地方，女人在鼻子上穿鼻圈是一项习俗，年轻的女孩子们便会热切希望要在鼻子上穿鼻圈。如果在另一些地方，将耳垂扩张到可以包住一个木盘被视为是漂亮，孩子必定会问："妈妈，什么时候我也可以在我的耳垂放一个木盘？"这是个事实。幼儿并不会判断事情的好坏、美丑、善恶。他们是依据大人所判断的来判断，大人是他们的族群。"我想要像你们大人一样"，这便是幼儿所热望的。"甚至为了要和你们一样，即使我自己必须毁容。"

你看到了这个精神上的力量如何影响一个人的灵魂。当然你发现有些人会成为意大利人、英国人和荷兰人还有祖鲁人！因为每一个族群有幼儿似乎会说："我承袭你精神上的本质，就好像借由遗传传递给我一般。"

因为幼儿——而且是经由幼儿——人类永久存在某些本能，适合每一个族群，每一个区域。当人类创造出一种行为举止能适应于任何环境，从热带雨林到北极，给予这些行为的永久性，就是因为幼儿的存在。幼儿就像在说："你的行为举止能否安然自在，你的精神，你的灵魂是否得以安住，是我的责任。"这大概是幼儿给这个社会最大的贡献。人类的倾向是去创造一个行为举止，幼儿去渴望那个行为举止，他必定有一个心态："我也想要它！因为那是你可以赠予我最高贵的礼物！"

而那便是蒙台梭利博士意指的当她说："幼儿是一种精神个体，他是所有精神事物的保存者，他是在人类一连串历史以来保持人类进化的关键。"

不管每个人的特性如何，一位没礼貌的女士或一个卖弄学问的人，依然，无论个体的态度是什么，乐观的或轻浮的，或怀有恶意的等等，这片云皆笼罩着他们——它包含了这个族群的宗教、风俗和习惯。他们不会远离那个族群。幼儿的小天线，正试着使他们自己能附属这片云："我想要像你一样，我想要有像你一样的想法。"总有一天，他们会被附加上去，而他们也会觉得很高兴！麻烦的是在今天，有暴风雨存在，这个共同的星云，这个区域共同的信仰和风俗被击碎。可怜的小天线不断地寻找又寻找，但是不能找到任何足够大和足够稳的东西来附属。他们，也就是幼儿，是狂奔在我们这个时代中精神风暴下真正的受害者。

**图书在版编目(CIP)数据**

发现孩子/ [意]蒙台梭利著;胡纯玉译. —北京:中国发展出版社,2003.11(2011.5 重版)

(蒙台梭利早期教育原著译丛)

ISBN 7-80087-666-7

Ⅰ. 发…　Ⅱ. ①蒙…　②胡…　Ⅲ. 儿童教育–研究　Ⅳ. G61

中国版本图书馆 CIP 数据核字(2003)第 045033 号

书　　　名:发现孩子
原 著 者:(意)玛利亚·蒙台梭利
译　　　者:胡纯玉
出 版 发 行:中国发展出版社
　　　　　　(北京市西城区百万庄大街 16 号 8 层　　100037)
标 准 书 号:ISBN 7-80087-666-7/G·74
经 销 者:各地新华书店
印 刷 者:北京领先印刷厂
开　　　本:1/16　640×960mm
印　　　张:14
字　　　数:190 千字
版　　　次:2011 年 5 月第 2 版
印　　　次:2013 年 5 月第 6 次印刷
定　　　价:18.00 元

联 系 电 话:(010)68990692　68990682